ENCICLOPEDIA
DE LAS
CIENCIAS

CATHERINE HEADLAM

VOLUMEN 10
SOLUTO - ZOOLOGÍA

EDITORIAL EVEREST, S. A.

MADRID • LEON • BARCELONA • SEVILLA • GRANADA • VALENCIA
ZARAGOZA • LAS PALMAS DE GRAN CANARIA • LA CORUÑA
PALMA DE MALLORCA • ALICANTE – MEXICO • BUENOS AIRES

DIRECTOR GENERAL
Catherine Headlam

DIRECTOR EDITORIAL
Jim Miles

EDITORES
Lee Simmons
Charlotte Evans

EDITORA ADJUNTA
Andrea Moran

ASESORES EDITORIALES
Profesor Lawrence F. Lowery,
Universidad de California,
Berkeley, USA, Alison Poter,
Consejera educativa,
Museo de Ciencias, Londres

ASESORES EDUCATIVOS
Terry Cash, Coordiandor del
equipo de profesores en Essex
Robert Pressling, Coordinador
de Matemáticas, Escuela
Primaria de Hillsgrove,
Londres.

COLABORADORES
Joan Angelbeck,
Michael Chinery,
John Clark, Neil Curtis,
Gwen Edmonds,
Andrew Fisher,
William Gould,
Ian Graham,
William Hemsley,
James Muirden,
John Paton,
Brian Ward,
Wendy Wasels,
Peter Way

DISEÑO
Ralph Pitchford,
Allan Hardcastle, Ross George,
Judy Crammond

ILUSTRACIÓN
Tim Russel, Elaine Willis

PRODUCCIÓN
Dawn Hickman

Título original: *Science Encyclopedia*

Traducción y realización: Luis Ogg, Susana Constante,
Alejo Torres y Alberto Magnet

©Grisewood & Dempsey Ltd., 1991 y
EDITORIAL EVEREST, S. A.
ISBN: 84-241-2133-3 (Obra completa)
ISBN: 84-241-2132-5 (Tomo X)
Depósito legal: LE. 493-1994
Printed in Spain - Impreso en España
EDITORIAL EVERGRÁFICAS, S. L.
Carretera León-La Coruña, km 5
LEÓN (España)

CODIGO DE SEGURIDAD

Algunos experimentos científicos pueden ser peligrosos. Pídele a un adulto que te ayude en casos de martilleos o cortes difíciles y en experimentos que incluyan llamas, líquidos calientes o productos químicos. No te olvides de apagar cualquier fuego o desconectar el calor cuando hayas terminado. Los buenos científicos evitan los accidentes.

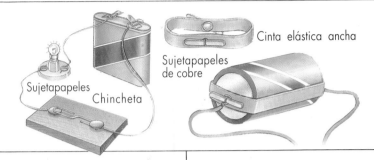

Cinta elástica ancha

Sujetapapeles de cobre

Sujetapapeles

Chincheta

ELECTRICIDAD
• Nunca uses para los experimentos corriente de la red.
• Emplea pilas para todos los experimentos que precisen electricidad. Deshazte de las pilas con cuidado cuando estén gastadas y nunca las calientes ni las desmontes.

CALOR
• Recógete el pelo y sé precavido con las ropas sueltas.
• Calienta sólo cantidades pequeñas de una sustancia.
• Ten siempre a un adulto al lado.
• Nunca calientes un recipiente con tapa. Aparta siempre de ti lo que calientes.
• Nunca sostengas nada en la mano para calentarlo. Usa un soporte que no conduzca el calor.

FUENTES DE CALOR SEGURAS
• El agua caliente del grifo o de una pava es una fuente de calor segura.
• Se puede usar un secador del pelo para secar algo. Ve con cuidado siempre que uses electricidad cerca del agua.

• Para el calor directo, usa una vela corta y gruesa colocada en arena en una bandeja de metal.

Arena

Bandeja de metal

PRODUCTOS QUIMICOS Y CANTIDADES
• Usa siempre pequeñas cantidades de cualquier sustancia, aunque sólo sea sal o vinagre.
• Nunca pruebes ni comas productos químicos.
• Limpia inmediatamente cualquier derrame, sobre todo si es en la piel.
• Lávate las manos después de usar productos químicos.
• Pregunta siempre a un adulto antes de usar cualquier sustancia; muchas sustancias caseras o de limpieza son bastante fuertes.
• Huele con mucho cuidado los productos químicos. No aspires profundamente ningún olor fuerte.
• Nunca manejes sustancias químicas con las manos desnudas. Usa una cuchara vieja y límpiala a fondo después de usarla.
• Rotula **todos** los productos químicos.

SOL
• Nunca mires directamente al sol, sobre todo a través de un telescopio o unos prismáticos.

PLANTAS Y ANIMALES
• Nunca cojas flores silvestres.
• Recoge los insectos con cuidado para no dañarlos. Suéltalos después.
• Cuidado con los insectos que pican.

RECIPIENTES SEGUROS
• Usa recipientes de plástico si un experimento no requiere calentamiento ni sustancias químicas fuertes.
• Usa vidrio resistente al fuego o recipientes de metal si aplicas calor.
• No uses vidrio corriente, puesto que puede estallar.

CORTAR
• Usa tijeras en lugar del cuchillo siempre que puedas.
• Cuando uses un cuchillo, mantén los dedos detrás del filo.
• Pon lo que hayas de cortar sobre un cartón que no resbale y evita dañar la superficie que hay debajo.

LOS SÍMBOLOS TEMÁTICOS

Cada entrada en esta enciclopedia tiene un símbolo frente al encabezamiento. Ese símbolo indica de un vistazo en qué tema encaja la entrada en cuestión, ya se trate de una biografía, un tema sobre electrónica o astronomía. Algunas entradas caen dentro de varios temas; por ejemplo, la bioquímica comprenderá tanto las ciencias biológicas como la química. Estas entradas tienen más de un símbolo temático. A continuación se presentan los nueve temas que hemos empleado. En la parte final de la enciclopedia hay una lista de los artículos dividida en áreas temáticas.

ASTRONOMÍA
¿Qué son los agujeros negros, los cometas y los quásars? ¿Cómo se formaron planetas y galaxias? ¿Qué parte del espacio hemos descubierto y explorado?

BIOGRAFÍA
Las vidas y los descubrimientos de científicos e inventores importantes y su aportación al conocimiento.

QUÍMICA
¿De qué se componen las materias? ¿Cómo se comportan sueltas y en contacto con otras sustancias?

CIENCIAS DE LA TIERRA
Cómo se formó la Tierra y cómo cambia todavía; sus desiertos, montañas, océanos, ríos y el tiempo.

ELECTRÓNICA
Explicación de apartatos basados en la electricidad, tal como los televisores y los ordenadores; cómo funcionan y cómo se usan.

CIENCIAS BIOLÓGICAS
Estructura y conducta de los seres vivos; desde los microorganismos a las plantas y animales más complejos.

MATEMÁTICAS
Cómo usan los científicos los números y las ecuaciones para analizar sus experimentos y para resolver problemas teóricos.

FÍSICA
La energía en forma de calor, luz, sonido, electricidad, mecánica y magnetismo, y el efecto que tiene sobre la materia, desde los átomos a los planetas enteros.

TECNOLOGÍA
Desde los simples adhesivos hasta los motores de reacción; cómo se usa la ciencia en la industria y el hogar.

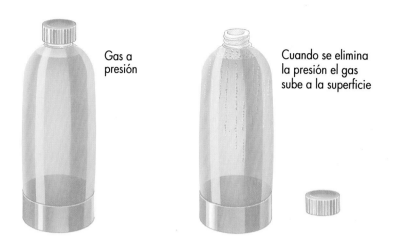

Gas a presión

Cuando se elimina la presión el gas sube a la superficie

◀ Cuando se disuelve en un líquido, un gas es un soluto. El dióxido de carbono, por ejemplo, se disuelve en agua. Aumentando la presión en el líquido, es posible lograr que se disuelva más dióxido de carbono. Así es como se hacen las bebidas carbonatadas como la tónica. Cuando se libera la presión (al abrir la botella), el gas extra sale rápidamente de la solución en forma de burbujas.

Soluto

Un soluto es la sustancia que se disuelve en un líquido para formar una solución (el líquido se llama solvente). En una solución de sal en agua, por ejemplo, la sal es el soluto. A menudo, como en este ejemplo, el soluto es un sólido. Pero un soluto puede ser un líquido, como en el caso del vinagre, que es una solución de ácido etanoico (ácido acético), que es un líquido, en agua. En la solución de amoníaco, que se usa como limpiador casero, el soluto es un gas (amoníaco).

Ver CRISTALES, EVAPORACIÓN

▼ Una manera de representarse la forma en que un soluto sólido se disuelve en un solvente líquido, es imaginar que las pequeñas moléculas de solvente se meten entre las moléculas de soluto más grandes y las obligan a apartarse. El soluto se mezcla con el solvente para formar una solución.

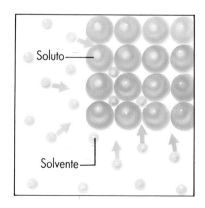

Soluto

Solvente

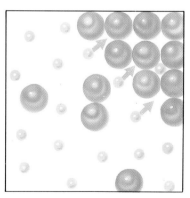

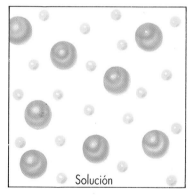

Solución

Sonar

El sonar es un sistema utilizado para localizar cosas bajo el agua, como por ejemplo los restos de un naufragio. Se usa también para medir la profundidad del mar y para localizar bancos de peces. Fue inventado en 1915, en Francia, por el profesor Langevin para detectar icebergs, como consecuencia del hundimiento del transatlántico *Titanic* en 1912, después de chocar con un iceberg.

El sonar funciona transmitiendo cortas ráfagas de SONIDO y

▲ *Los modernos navíos de guerra utilizan un sonar de sombras de exploración lateral para detectar submarinos (arriba). Las ondas de ultrasonido reflejadas se utilizan para elaborar una imagen de los objetos sumergidos, como por ejemplo de este submarino que yace en el fondo del océano.*

▼ *Las pantallas de sonar utilizan las ondas sonoras para elaborar imágenes como ésta.*

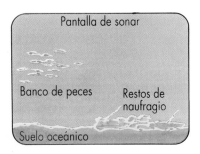

Pantalla de sonar

Banco de peces

Restos de naufragio

Suelo oceánico

▶ *La misión de la sonda espacial americana Voyager II abarcó doce años, tiempo durante el cual visitó cuatro de los planetas exteriores y sus lunas.*

Sondas espaciales recientes
1985 Se enviaron cinco sondas para estudiar el cometa Halley
1988 Fobos (URSS) estudia Marte y sus satélites
1989 Lanzamiento de la Magallanes (EUA) a la superficie de Venus.
1989 Lanzamiento de la Galileo (EUA) para orbitar Júpiter y enviar un módulo.
1990 Lanzamiento de la Ulises para sobrevolar los polos del Sol.

recogiendo reflejos o ECOS que parten de los obstáculos que hay en su camino. El lapso que transcurre entre los pulsos transmitidos y los reflejados permite calcular la distancia o magnitud de los obstáculos. La FRECUENCIA de sonido utilizada es tan alta, que va mucho más allá de la más alta que puede escuchar el OÍDO humano. Esta es la razón por la cual se lo llama ULTRASONIDO. El propio sonar lleva este nombre por SOund Navigation And Ranging.

Sondas espaciales

Se han enviado sondas a la LUNA, a todos los PLANETAS excepto Plutón, y al COMETA HALLEY. La primera sonda exitosa, la Luna II (URSS), llegó a la Luna en 1959. La primera sonda planetaria exitosa fue la Mariner II (EUA), que pasó junto a Venus en 1962. Las sondas interplanetarias tienen que recorrer cientos de millones de kilómetros en viajes que pueden durar años.

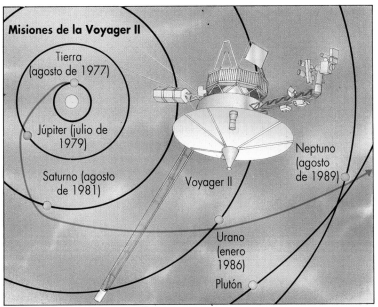

Misiones de la Voyager II

Tierra (agosto de 1977)

Júpiter (julio de 1979)

Saturno (agosto de 1981)

Voyager II

Neptuno (agosto de 1989)

Urano (enero 1986)

Plutón

La Voyager II, lanzada en 1977, no hizo su "último contacto" con Neptuno hasta 12 años más tarde. Las cámaras y detectores deben ser fiables y el suministro de ELECTRICIDAD no puede fallar. Durante su vuelo una sonda espacial puede medir campos magnéticos, la RADIACIÓN del Sol y el espacio exterior y los impactos de diminutos micrometeoros parecidos a polvo.

Algunas sondas se han posado en planetas o han enviado módulos. La Venera XIII soviética se posó en Venus en 1982, sacó una muestra de roca mediante taladro y envió información

▼ *La sonda espacial Galileo fue lanzada desde la Lanzadera Espacial en 1989 para explorar el gigantesco Júpiter.*

▶ *Después de posarse en Marte en 1976, las sondas espaciales Viking enviaron fotografías. La Mariner X fue la primera sonda espacial que pasó junto a dos planetas: Venus (1974) y Mercurio (1974 y 1975). La Pioneer, que orbita Venus, levantó un mapa del 98% de la superficie de Venus por radar en 1978.*

Viking

Mariner X

Pioneer, que orbita Venus

sobre ella. Los dos aparatos Viking estadounidenses que visitaron Marte en 1976 enviaron módulos para estudiar la superficie. La Voyager II estudió todos los planetas desde Júpiter hasta Neptuno. Es la sonda espacial más famosa y exitosa. Ninguna nave podrá repetir este logro durante años, hasta que los planetas vuelvan a estar "alineados". Dos sondas importantes posteriores a la Voyager son la Magallanes, que va a orbitar a Venus, y la Galileo, que pasó cerca de Venus antes de seguir viaje para orbitar Júpiter.

Sonido

El sonido es una forma de MOVIMIENTO DE ONDAS. Cada vez que las cosas se mueven o vibran se produce sonido. Por ejemplo, cuando la piel de un tambor se golpea con un palillo, se mueve hacia atrás y hacia adelante. Este movimiento provoca otro similar en el aire cercano, a medida que éste vibra y emite una onda sonora. *Ver* páginas 722 y 723

Sonido estereofónico

El sonido estereofónico es la reproducción de SONIDO mediante dos canales auditivos independientes. El sonido estereofónico tiene una calidad direccional de la que carece el sonido de un solo canal o monofónico. El sonido estereofónico se graba

▼ *El brazo de un aparato estéreo produce dos señales, que corresponden a los canales sonoros de la derecha y de la izquierda, y que se recogen de los lados izquierdo y derecho del surco que hay en el disco. Estas señales se amplifican por separado y van a dos altavoces.*

usando por lo menos dos MICRÓFONOS, cada uno de los cuales apunta a cada lado de los músicos. Cuando se reproduce el sonido a través de por lo menos dos ALTAVOCES colocados a cada lado del oyente, recrea los sonidos recibidos por los micrófonos. Cada oído escucha sonidos ligeramente distintos. Hay otros sistemas de sonido multicanal. El sistema cuadrafónico tiene cuatro canales. La mayor parte de las películas se hacen con cuatro canales de sonido: izquierda, derecha, centro y parte trasera.

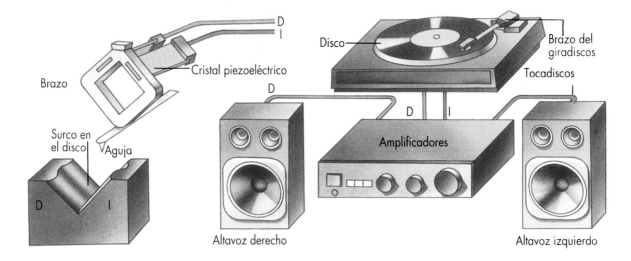

Brazo

Cristal piezoeléctrico

Surco en el disco
Aguja

D   I

Disco

Brazo del giradiscos

Tocadiscos

D

Amplificadores

Altavoz derecho

Altavoz izquierdo

NaOH

▲ *Esta es la fórmula química del hidróxido de sodio o sosa cáustica. A menudo se produce hidróxido de sodio mediante la electrólisis del cloruro sódico o sal. Se la llama también lejía y se utiliza como limpiahornos.*

Sosa cáustica

La sosa cáustica es el hidróxido de sodio, un compuesto químico formado por SODIO, HIDRÓGENO y OXÍGENO. Es un compuesto muy peligroso. La palabra "cáustica" significa "que quema", y las sustancias cáusticas queman o corroen otras sustancias, sobre todo materia orgánica, que incluye los tejidos del cuerpo humano. Es necesario impedir que la sosa cáustica entre en contacto con la piel, la boca o cualquier otra parte del cuerpo. Cuando sea necesario manipularla en laboratorio, habría que hacerlo con grandes precauciones. La sosa cáustica es un álcali fuerte. Se la utiliza para hacer jabón y es muy eficaz para limpiar tuberías, porque ataca la grasa y otras materias de desecho que atascan los desagües.

Submarino

Un submarino es una nave destinada a funcionar durante largos períodos bajo el agua. Casi todos los submarinos son militares. Los otros se usan para la investigación científica o viajes turísticos. El primer submarino fue construido por un holandés llamado Cornelius Drebbel. En 1620 navegó con él por el río

Támesis, a la altura de Londres. En 1776, durante la guerra de la Independencia de Estados Unidos, David Bushnell construyó un submarino fallido llamado *Turtle* para atacar las naves británicas. En 1800 otro estadounidense, Robert Fulton, construyó el primer submarino con casco de metal. En 1857, el español Monturiol construyó el submarino *Ictíneo*, eficaz en

▼ *Un submarino flota o se hunde según la cantidad de agua de mar que haya en sus tanques de lastre. Se utiliza aire comprimido para obligar a salir el agua y que el submarino suba a la superficie.*

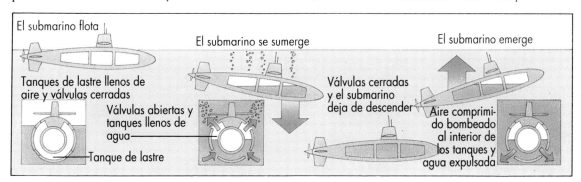

El submarino flota

El submarino se sumerge

El submarino emerge

Tanques de lastre llenos de aire y válvulas cerradas

Válvulas abiertas y tanques llenos de agua

Tanque de lastre

Válvulas cerradas y el submarino deja de descender

Aire comprimido bombeado al interior de los tanques y agua expulsada

pruebas, que no se continuó por falta de dinero. En 1889, Peral construyó el primer submarino torpedero. El primer submarino de larga distancia fue construido por P. Holland en la década de 1890. Cuando estaba en la superficie recibía energía de un motor de automóvil, y cuando estaba sumergido, de un motor eléctrico.

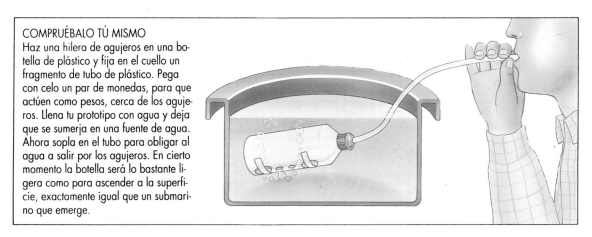

COMPRUÉBALO TÚ MISMO
Haz una hilera de agujeros en una botella de plástico y fija en el cuello un fragmento de tubo de plástico. Pega con celo un par de monedas, para que actúen como pesos, cerca de los agujeros. Llena tu prototipo con agua y deja que se sumerja en una fuente de agua. Ahora sopla en el tubo para obligar al agua a salir por los agujeros. En cierto momento la botella será lo bastante ligera como para ascender a la superficie, exactamente igual que un submarino que emerge.

▼ *Este corte de un submarino nuclear muestra qué escaso es el espacio interior.*

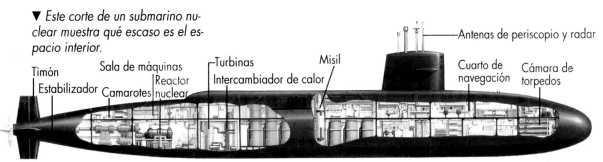

Timón
Estabilizador
Camarotes
Sala de máquinas
Reactor nuclear
Turbinas
Intercambiador de calor
Misil
Antenas de periscopio y radar
Cuarto de navegación
Cámara de torpedos

SONIDO

Estamos más familiarizados con las ondas sonoras que atraviesan el aire. Sin embargo, el sonido también puede trasladarse por el agua, el metal o cualquier otro material. A diferencia de la radiación electromagnética, como la luz, no puede atravesar un vacío.

Las distintas ondas sonoras tienen distintas frecuencias (a veces llamadas tonos), y en consecuencia distintas longitudes de onda. Dos ondas sonoras también pueden diferenciarse en que una produce en el material una mayor cantidad de movimiento que la otra. En este caso decimos que las ondas tienen amplitudes distintas. El volumen de un sonido depende de la amplitud de las ondas sonoras.

Los científicos no saben exactamente cómo funcionan nuestros oídos para permitirnos escuchar sonidos, pero parece que los diminutos pelos en nuestro oído interno pueden resonar cada uno a una frecuencia específica, y responder al sonido en esa frecuencia. La gente joven puede percibir sonidos con frecuencias entre unos 20 hertz (ciclos por segundo) y 20.000 Hz (20 kHz). A medida que la gente envejece, disminuye la gama de frecuencias que puede escuchar.

El sonido viaja a velocidades distintas en distintos medios; cuanto más denso es el medio, más rápido viaja. Por ejemplo, el sonido viaja más rápido por el agua que por el aire. La velocidad del sonido *no* depende de lo alto que sea ni tampoco de su tono, es decir de si es agudo o grave. Las ondas sonoras van mucho más lentamente que las lumínicas. Esta es la razón por la cual vemos primero el relámpago y sólo después oímos el trueno. En el aire, el sonido viaja a unos 1.200 km/h.

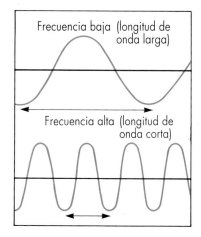

▲ El tono de un sonido (si es agudo o grave) depende de su frecuencia o longitud de onda. Las ondas largas tienen una frecuencia y tono menor que las ondas cortas.

▼ El volumen de un sonido depende de la altura de sus ondas, que se llama amplitud. Los sonidos suaves tienen una amplitud pequeña; los sonidos fuertes tienen una amplitud grande.

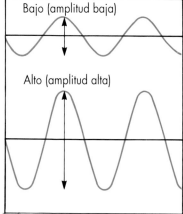

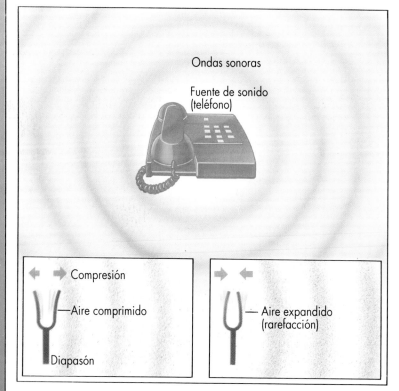

◄ Cuando los dientes de un diapasón vibran hacia afuera, comprimen el aire que los rodea, creando una alta presión. Cuando vibran en sentido contrario, el aire se expande, dejando una zona de baja presión. Las ondas de alta y baja presión que hay en el aire forman ondas sonoras que irradian hacia afuera desde cualquier cosa que vibre.

▼ *El sonido es una forma de energía. Cuando se convierte en movimiento la energía del combustible, parte de ésta se gasta en forma de sonido. Los coches de carreras hacen mucho ruido, que es una mezcla de sonidos irregulares que cubren una amplia gama de frecuencias.*

▲ *El trueno es el sonido retumbante provocado por el aire en rápida expansión y calentado por un relámpago. Oímos el ruido algo después, porque el sonido viaja mucho más lentamente que la luz.*

El sonido viaja más rápido en un medio denso que en otro menos denso.
Velocidad en el aire (a nivel del mar): 334 m/s
Velocidad en el agua : 1.496 m/s
Velocidad en el vidrio : 4.988 m/s

▼ *El sonido va más rápido por el agua que por el aire, de modo que puede llegar más lejos antes de desvanecerse. Los sonidos de alta frecuencia también llegan más lejos antes de desvanecerse. Las ballenas se comunican mediante sonidos agudos que pueden escuchar a cientos de kilómetros de distancia.*

Mar del Japón   Océano Pacífico

0   150
millas

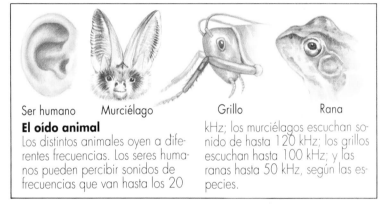

Ser humano   Murciélago   Grillo   Rana

El oído animal
Los distintos animales oyen a diferentes frecuencias. Los seres humanos pueden percibir sonidos de frecuencias que van hasta los 20 kHz; los murciélagos escuchan sonido de hasta 120 kHz; los grillos escuchan hasta 100 kHz; y las ranas hasta 50 kHz, según las especies.

COMPRUÉBALO TÚ MISMO
Con una caja y algunas bandas elásticas puedes hacer un instrumento musical como la cítara. Corta un agujero ovalado en la parte superior de la caja y usa como puentes dos trozos de madera. Pasa las bandas elásticas en torno a la caja como muestra el dibujo y hazlas vibrar. Cuanto más delgada o estirada esté la banda elástica, más aguda será la nota.

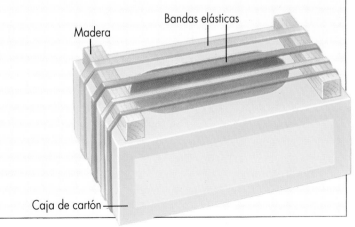

Madera   Bandas elásticas

Caja de cartón

Ver ACÚSTICA, COMUNICACIONES, DECIBELIO, EFECTO DOPPLER, OÍDO, ECO, FRECUENCIA, AUDICIÓN, HERTZ, NÚMERO MACH, RUIDO

SUELO

El suelo es una mezcla de fragmentos de distintos tamaños de rocas y minerales, junto con desechos vegetales y animales, agua, aire y animales y plantas del suelo. Es la capa superficial de la Tierra, debajo de la cual hay roca fragmentaria, el subsuelo, y después lecho de roca. El suelo puede formarse también directamente sobre arenas y gravillas. Contiene material orgánico que lo diferencia de los desechos rocosos. Los suelos pueden formarse en tejados, muros o grietas de las aceras. Por lo general, lo que inicia la formación del suelo a partir de desechos rocosos son bacterias microscópicas, musgos y líquenes.

El material orgánico oscuro llamado humus se forma a partir de las plantas muertas. Conserva humedad y suministra los nutrientes fundamentales para el crecimiento de nuevas plantas. Las raíces de las plantas se abren paso por el suelo, creando espacios de aire que permiten a los animales y bacterias que respiran aire vivir en el suelo. Un suelo sano contiene un equilibrio de minerales, humus, bacterias, animales propios del suelo, aire y agua. Este equilibrio depende del lecho de roca, el clima y la forma de la tierra, así como también de la cantidad de tiempo durante la cual se ha desarrollado el suelo.

Plantas
Materia orgánica en descomposición (humus)

Capa superior del suelo

Subsuelo

Roca fragmentaria

Lecho de roca

▲ El suelo, que contiene las raíces de la mayor parte de las plantas pequeñas, es la capa superior. Debajo está el subsuelo, que cubre roca fragmentaria que hay sobre el lecho de roca. Las capas superiores contienen humus, que las plantas utilizan como alimento, y que proviene de la putrefacción de la materia orgánica.

COMPRUÉBALO TÚ MISMO
Puedes descubrir cuáles son los componentes del suelo llenando la mitad de la jarra con tierra y la otra mitad con agua. Tapa la jarra y sacúdela. Después déjala reposar. Al cabo de varias horas, el suelo se separará en capas, con las partículas más finas arriba y las más gruesas en el fondo.

Humus en flotación
Arcilla
Cieno
Arena fina
Arena gruesa

Suelo arenoso

Suelo arcilloso

Suelo de marga

▲ Los suelos difieren en el tamaño de las pequeñas partículas que los constituyen. En suelo arenoso, las partículas son comparativamente grandes (de hasta 2 mm) y el suelo contiene mucho aire; permite que el agua lo atraviese rápidamente. Un suelo de arcilla tiene partículas muy pequeñas con poco aire y mal drenaje. El suelo de marga, con una mezcla de partículas grandes y pequeñas, es el mejor para sembrar.

Ver AIRE, CLIMA, EROSIÓN Y DESGASTE, ECOSISTEMA, CADENA ALIMENTARIA, MICROORGANISMOS, MINERALES, ROCAS, RAÍCES, AGUA

La primera guerra mundial fue el primer conflicto bélico en el cual se utilizaron grandes cantidades de submarinos. Los submarinos alemanes atacaron con éxito las flotas enemigas. En la segunda guerra mundial volvieron a utilizarse submarinos para atacar los barcos enemigos. Los submarinos nucleares pueden permanecer sumergidos durante miles de kilómetros. Los submarinos diesel tienen que emerger para cargar sus baterías.

Sueño

El sueño es un período durante el cual el cuerpo detiene la acción de muchos de sus sistemas. Aunque el cuerpo descansa, el CEREBRO sigue activo y puede controlarse midiendo sus diminutas corrientes eléctricas. Estas corrientes tienen variaciones rítmicas. Cuando nos ponemos a dormir, los ritmos cerebrales son lentos, demostrando que en el cerebro no pasan demasiadas cosas. Al cabo de un rato, los ritmos se hacen erráticos, semejantes a los que se producen durante la vigilia, y a medida que el cuerpo se relaja los ojos giran debajo de los párpados. Esto se llama fase REM (Rapid Eye Movement = Movimiento Rápido de Ojos), y al parecer es entonces cuando se producen los SUEÑOS. Si te despiertan durante esta fase, recuerdas con claridad tus sueños; si no, soñarás varias veces cada noche pero no recordarás lo que has soñado. No se comprende totalmente cuál es la función del sueño. Todos los animales duermen, pero el lapso en el cual lo hacen varía mucho. El ganado duerme pocos minutos cada vez, mientras que los gatos duermen gran parte del día. Hay pocos animales que duerman tanto como los seres humanos. Si nos impiden dormir durante largo tiempo, damos señales de perturbación mental.

Sueños

Todos soñamos por la noche, pero por lo general antes de despertar hemos olvidado los sueños. Durante el sueño atravesamos diversas fases, y los sueños se producen durante el lapso en el cual la inconsciencia es más ligera. Cuando esto sucede, los músculos están relajados y los ojos se mueven rápidamente bajo los párpados (esto se llama movimiento rápido de ojos o REM). Si te despiertas en ese momento, recordarás el sueño; si no, pasarás a otra forma de sueño, y el sueño quedará olvidado. Este ciclo del soñar se repite varias veces durante la noche. La función de los sueños es incierta. A menudo parece que un sueño vívido debe tener algún objeto, pero muchos científicos opinan que los sueños son simplemente una manera que tiene el cerebro de librarse de información no deseada. Sin duda algu-

> Si se priva del sueño a los seres humanos, primero pierden energía y se ponen de mal humor. A los dos días les resulta difícil concentrarse y cometen muchos errores en tareas rutinarias. Las personas que no han podido dormir durante más de tres días experimentan grandes dificultades para pensar, ver y oír con claridad, y algunos tendrán alucinaciones.

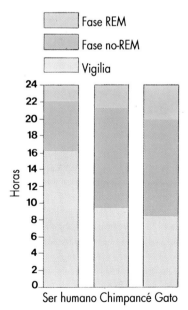

▲ Los gráficos comparan la duración y tipo de sueño de los seres humanos, los chimpancés y los gatos. Observa los diferentes períodos de fase REM, que es cuando se producen los sueños.

nas pesadillas son aterradoras y provocan taquicardias. Algunos psicoanalistas creen que el contenido de los sueños es muy importante y puede facilitar información sobre la mente de una persona. Sigmund FREUD fue el primer psicoanalista que hizo un estudio detallado de los sueños. Creía que muchos sueños son en realidad recuerdos deliberadamente escondidos o reprimidos, que causan problemas emocionales.

Sulfamidas

Las sulfamidas se utilizan para tratar a las personas que padecen algunas ENFERMEDADES provocadas por bacterias. El medicamento se basa en productos químicos sintéticos llamados sulfonamidas. No mata a las bacterias, pero funciona previniendo su crecimiento y multiplicación, de modo que las defensas naturales del cuerpo pueden enfrentarse con ellas fácilmente. Las sulfamidas se descubrieron en la década de 1930 y estuvieron entre los primeros medicamentos realmente eficaces que se hicieron en LABORATORIO. Se las utiliza sobre todo para tratar INFECCIONES del estómago y la vejiga; otros trastornos bacterianos se tratan por lo general con ANTIBIÓTICOS como la penicilina. Ni las sulfamidas ni los antibióticos son eficaces contra las ENFERMEDADES VÍRICAS.

SO_4^{2-}

▲ Un sulfato, SO_4, es una sal de ácido sulfúrico. Probablemente uno de los sulfatos más importantes sea el sulfato cálcico, que se utiliza para hacer yeso.

Sulfatos

Los sulfatos son sales de ÁCIDO SULFÚRICO. Algunos sulfatos están presentes en el suelo en forma de depósitos, como los MINERALES alabastro y yeso, que son formas de sulfato cálcico. El yeso puede calentarse para hacer escayola y es la sustancia blanca utilizada como tiza escolar. Otros sulfatos importantes son el sulfato de magnesio, conocido también como sales de Epsom, que se usa en medicina y también para hacer telas incombustibles, y el sulfato sódico, que se utiliza en la manufactura del vidrio y en la pulpa de madera para hacer papel. Los sulfatos pueden hacerse disolviendo un metal, un ÓXIDO de metal o un HIDRÓXIDO de metal en ácido sulfúrico. La mayoría de los sulfatos se disuelve en agua. Una excepción es el sulfato de BARIO, utilizado en la "papilla" de bario que tragan las personas a quienes se hace una radiografía de estómago. Los rayos X no atraviesan el bario, y de este modo es posible ver el estómago en la radiografía.

Sulfitos

Los sulfitos son compuestos de AZUFRE y otro elemento. Uno de los más conocidos es el sulfito de hidrógeno, un gas que huele a huevos podridos. Se hace tratando un sulfito de METAL con ÁCIDO diluido. Los sulfitos de metal pueden prepararse introduciendo burbujas de sulfito de hidrógeno en una solución de sal metálica. También pueden hacerse mediante reacción directa entre el metal y el azufre. La mayor parte de los sulfitos metálicos son sustancias coloreadas que se usan como PIGMENTOS en la fabricación de pintura. También están presentes de manera natural en varios MINERALES que son fuentes importantes de metales como el hierro, el plomo, el mercurio y el cinc.

▲ La forma mineral del trisulfito de arsénico, As2S3, se llama oropimente. Se la pulveriza y utiliza como pigmento amarillo. Hay que manejarla con grandes precauciones porque es muy venenosa.

Suministro de agua

Para los seres humanos es fundamental el suministro de AGUA fresca no contaminada. Para suministrar y purificar agua se utilizan varios métodos. Es posible sacarla por tuberías de los ríos razonablemente libres de CONTAMINACIÓN. Es preciso filtrar y tratar este agua para asegurarse de que está limpia. Para suministros a pequeña escala, se puede obtener agua practicando un pozo en el suelo hasta debajo del NIVEL HIDROSTÁTICO. En ocasiones el AGUA FREÁTICA puede estar bajo presión a causa de la estructura rocosa. Si se cava un pozo en las rocas que llevan agua, ésta sale a la superficie a causa de su propia presión, como en un POZO ARTESIANO. En las zonas de gran población puede ser necesario represar los ríos para suministrar reservas. En las partes áridas del mundo es posible entubar el agua o transportarla por canales a lo largo de grandes distancias para regar las cosechas.

▲ En tiempos de sequía o en aquellas regiones del mundo donde el suministro de agua es escaso, puede resultar imposible entubar agua para que llegue a las casas de la gente.

Superconductor

Un superconductor es un material que puede llevar una corriente eléctrica con muy poca resistencia. Esto significa que a medida que circula la ELECTRICIDAD no se agota ni se pierde en forma de calor. En algunos ELECTROIMANES grandes se suelen usar solenoides superconductores, ya que permiten el flujo de grandes corrientes sin necesidad de suministrar grandes cantidades de ENERGÍA. Muchos metales, por ejemplo el PLOMO y el ALUMINIO, se convierten en superconductores si se los enfría hasta una temperatura lo bastante baja, por lo general a unos pocos grados KELVIN por encima del cero absoluto. Recientemente se han descubierto ciertos materiales que se convierten en superconductores a temperaturas mucho más

En 1975 científicos de Estados Unidos iniciaron una corriente eléctrica moviendo un circuito de superconductores, y después quitaron la fuente de la corriente. Años más tarde, ésta seguía fluyendo.

elevadas. No obstante, incluso estos materiales necesitan un equipo enfriador especial que usa nitrógeno líquido (muy frío) para producir la superconductividad. Algunos de estos materiales nuevos son CERÁMICAS.

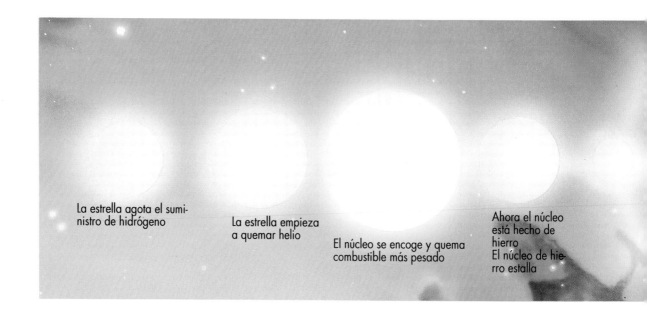

La estrella agota el suministro de hidrógeno

La estrella empieza a quemar helio

El núcleo se encoge y quema combustible más pesado

Ahora el núcleo está hecho de hierro
El núcleo de hierro estalla

▲ *Aparece una supernova cuando estalla súbitamente el núcleo de una estrella sólida que va encogiéndose. En los primeros diez segundos de la explosión produce cien veces más energía que la que ha producido el Sol en su vida de 4.600 millones de años.*

Cuando una supernova se colapsa para convertirse en una estrella de neutrones, su densidad aumenta un billón de veces. ¡Un fragmento de estrella de neutrones del tamaño de una cabeza de alfiler pesaría tanto como un gran rascacielos! Todos los átomos de la estrella son comprimidos hasta que los protones y electrones de cada átomo se convierten en uno.

Supernova

Una supernova es el resultado de la muerte violenta de una ES-TRELLA sólida, más grande que nuestro SOL. Una estrella se nos aparece como una esfera brillante porque la RADIACIÓN que sale de su centro la hace "estallar". Cuando el núcleo se enfría, se colapsa, produciendo durante breve tiempo tanta energía en la explosión supernova como la que hay en una galaxia de miles de millones de estrellas. Todo lo que queda después de la explosión es una nube de gas en expansión y una ESTRELLA DE NEUTRONES de algunos kilómetros de ancho, que contiene lo que queda de la estrella. La última supernova de nuestra GALA-XIA de la VÍA LÁCTEA estalló en 1604, pero en 1987 se vio una en la cercana NUBE DE MAGALLANES.

Suspensión

Una suspensión es una MEZCLA que contiene partículas suspendidas en un LÍQUIDO o GAS. Las partículas pueden ser MO-LÉCULAS de otro líquido o bien SÓLIDAS. Las partículas o gotas son tan pequeñas, que no puedes verlas individualmente, pero son mayores que las partículas de un COLOIDE. Las suspensiones son casi siempre turbias, porque la LUZ está dispersa y es reflejada por las partículas o gotas.

Se forma una suspensión cuando las dos sustancias no forman una SOLUCIÓN. Esto sucede porque las moléculas que forman las gotas o partículas diminutas no son atraídas con mucha

La explosión produce una supernova

La nube de gas expandida se aleja en el espacio

El núcleo se convierte en una estrella de neutrones superdensa

energía hacia las moléculas del resto del líquido, de modo que en lugar de dispersarse y disolverse, permanecen juntas. Un ejemplo cotidiano de suspensión son las partículas de arena o tierra que hay en el agua.
Ver EMULSIÓN

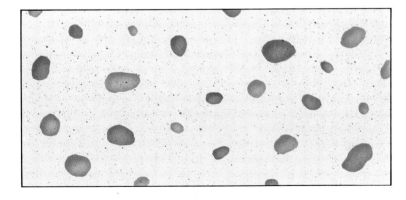

◀ *La mayoría de las suspensiones son partículas sólidas o líquidas que flotan en un líquido. Pero si las partículas son lo bastante pequeñas pueden formar una suspensión en el aire. Esto es lo que sucede con la niebla (gotas líquidas) y con el humo (partículas sólidas).*

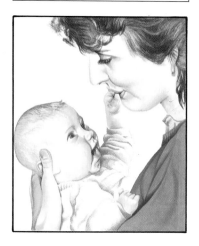

▲ El tacto no es sólo una manera de detectar lo que nos rodea, sino que también puede ser una manera importante de comunicarse.

Tabla periódica

La tabla periódica es una tabla de todos los ELEMENTOS químicos según el orden de sus NÚMEROS ATÓMICOS, de modo que los elementos con propiedades similares están cerca unos de otros. Cada elemento está constituido por su propia clase de átomos. *Ver* páginas 732 y 733

Tacto

El tacto es uno de los SENTIDOS. Ayuda a proteger el cuerpo de daño accidental. Consiste en cinco sensaciones separadas: presión, tacto, calor, frío y dolor. Estas sensaciones se combinan para producir el sentido del tacto. Los distintos receptores se agrupan en la dermis de la PIEL, y pasan sus señales al CEREBRO a lo largo de los NERVIOS. En aquellas zonas en las que es importante que las sensaciones sean precisas, los receptores están muy cerca unos de otros. Los receptores de tacto y presión están muy juntos en las puntas de nuestros dedos y en los labios, que se cuentan entre las áreas más sensibles del cuerpo. En cambio en la espalda, brazos y piernas, los receptores están muy dispersos, porque estas zonas no son importantes para nuestro sentido del tacto. Los PELOS diminutos que cubren la piel participan también de nuestro sentido del tacto, ya que el movimiento de estos pelos responde al movimiento del aire.

Tanino

El tanino es un COMPUESTO amarillo que existe en partes de muchas plantas, tales como la corteza de los árboles, las agallas de los robles, las nueces y hasta las hojas de té y los granos de café. Su nombre químico es ácido tánico. El tanino se utiliza para curtir pieles de animales para hacer cuero. Después de empapar en agua y tratar con cal las pieles, se las trata con tanino. Éste reacciona en las pieles con las PROTEÍNAS, para mantenerlas flexibles y evitar que se pudran. El tanino se usa también en la tintura y en la fabricación de tinta.
Ver CAFEÍNA

Tecnología

La tecnología es el uso práctico de la ciencia en la industria y la vida cotidiana. La tecnología más antigua fue la manufactura de herramientas de piedra por parte de los pueblos primitivos hace alrededor de un millón de años.

Telecomunicaciones

Las telecomunicaciones son la transmisión de información a grandes distancias mediante señales eléctricas, ondas de RADIO o LUZ. La información —que puede incluir la voz, datos de OR-DENADOR, señales de radio o programas de televisión— puede enviarse de una de dos maneras. Puede ser en forma de copia electromagnética de la información, llamada señal ANALÓGICA, pero cada vez más las señales de telecomunicaciones son DIGI-TALES. Consisten en una corriente de pulsos eléctricos que contiene toda la información original, pero en forma codificada.

Antes de la transmisión, la señal se agrega a una señal de radio de alta frecuencia llamada onda portadora. Este proceso se llama modulación. En el receptor, un filtro extrae la onda portadora. Un gran número de transmisores y receptores liga-dos entre sí recibe el nombre de red. Un ejemplo de red es el sistema telefónico.

▼ Las formas más utilizadas de telecomunicaciones son los teléfonos, la radio y la televisión. Salvo en lo que se refiere a llamadas telefónicas de corta distancia, las tres emplean radioondas y usan antenas para enviar y recibir señales a grandes distancias hacia y desde satélites.

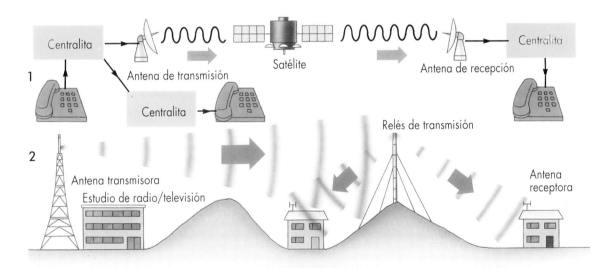

Teléfono

El teléfono es un artefacto diseñado para transmitir la voz en forma de corrientes eléctricas u ondas de RADIO. Permite que la gente se hable a grandes distancias. Fue ideado por el inventor estadounidense Alexander Graham BELL en 1876, mientras trabajaba para hacer mejoras en el TELÉGRAFO. Dentro de ese año, Bell transmitió por primera vez el habla humana... a su ayudante, que estaba en la otra habitación. Se establecieron servicios rivales que usaban diferentes sistemas telefónicos, entre ellos uno diseñado por el inventor Thomas EDISON. A comienzos de este siglo, se decidió hacer todos los teléfonos de manera estándar a fin de poder conectarlos entre sí.

TABLA PERIÓDICA

Hay muchos elementos químicos diferentes. Se sabe que hay 92 que están presentes de manera natural, y que hay otros que pueden hacerse artificialmente en laboratorio. Los elementos están organizados de manera tal que el número atómico (el número de protones y también de electrones en un átomo de ese elemento) aumenta de izquierda a derecha.

La tabla periódica es útil porque hay regularidad en las propiedades químicas de los elementos. Esto sucede porque los electrones de los átomos están dispuestos en celdillas y cada celdilla tiene un número determinado de electrones. Todos los elementos con el mismo número de electrones en la cubierta exterior se comportan de manera similar. De modo que, basándose en la tabla periódica, los científicos pueden predecir las propiedades de los elementos, o de compuestos de dos o más elementos, por lo que saben de los elementos vecinos en la tabla.

▼ La tabla periódica contiene todos los elementos conocidos según el orden creciente del número atómico. Los elementos de átomos con estructuras similares tienen propiedades similares, de modo que se los coloca cerca unos de otros. Los elementos pueden dividirse en metales y no metales o metaloides, pero estas agrupaciones son muy grandes. En consecuencia, los metales están subdivididos en tres grupos: metales alcalinos como el magnesio; metales de transición como el hierro; y las series de transición interna como el uranio.

▶ Partiendo de la tabla periódica podemos descubrir mucha información sobre los elementos, que incluye sus nombres y símbolos. La tabla muestra tendencias en la conducta de los elementos, a causa del tamaño creciente de sus átomos.

Horizontalmente

Si se lee horizontalmente: aumenta el tamaño de los átomos; los elementos pasan de metales a no metales, pasando por los elementos semejantes a metales.

Verticalmente

Si se lee verticalmente: aumenta el tamaño de los átomos; todos los elementos del mismo grupo se comportan de manera muy semejante porque todos tienen la misma cantidad de electrones en la parte exterior de sus átomos.

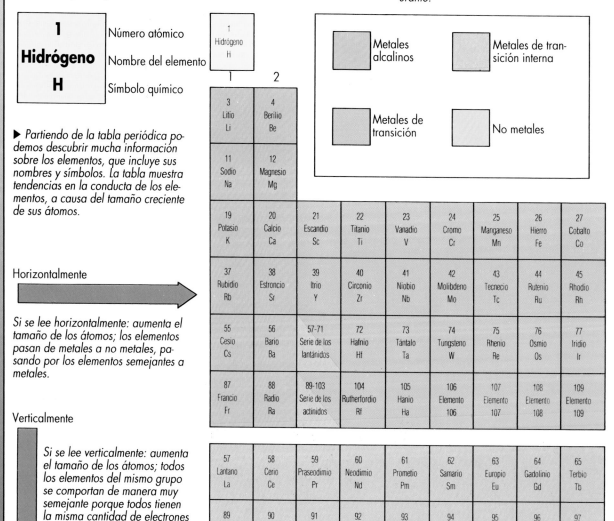

Número atómico · Nombre del elemento · Símbolo químico

Metales alcalinos · Metales de transición interna · Metales de transición · No metales

1	2							
1 Hidrógeno H								
3 Litio Li	4 Berilio Be							
11 Sodio Na	12 Magnesio Mg							
19 Potasio K	20 Calcio Ca	21 Escandio Sc	22 Titanio Ti	23 Vanadio V	24 Cromo Cr	25 Manganeso Mn	26 Hierro Fe	27 Cobalto Co
37 Rubidio Rb	38 Estroncio Sr	39 Itrio Y	40 Circonio Zr	41 Niobio Nb	42 Molibdeno Mo	43 Tecnecio Tc	44 Rutenio Ru	45 Rhodio Rh
55 Cesio Cs	56 Bario Ba	57-71 Serie de los lantánidos	72 Hafnio Hf	73 Tántalo Ta	74 Tungsteno W	75 Rhenio Re	76 Osmio Os	77 Iridio Ir
87 Francio Fr	88 Radio Ra	89-103 Serie de los actinidos	104 Rutherfordio Rf	105 Hanio Ha	106 Elemento 106	107 Elemento 107	108 Elemento 108	109 Elemento 109

57 Lantano La	58 Cerio Ce	59 Praseodimio Pr	60 Neodimio Nd	61 Prometio Pm	62 Samario Sm	63 Europio Eu	64 Gadolinio Gd	65 Terbio Tb
89 Actinio Ac	90 Torio Th	91 Protactinio Pa	92 Uranio U	93 Neptunio Np	94 Plutonio Pu	95 Americio Am	96 Curio Cm	97 Berkelio Bk

Dmitri Mendeleiev (1834-1907)

Mendeleiev fue un químico ruso que trazó la primera tabla periódica. Lo hizo organizando los elementos químicos conocidos según su peso atómico creciente, aunque ahora sabemos que lo significativo es el orden de los números atómicos. Partiendo de los lugares vacíos de la tabla, predijo la existencia de elementos que todavía no se habían descubierto.

▲ *El hidrógeno es el elemento más abundante del universo. Es así porque es la sustancia básica de la cual están hechas todas las estrellas.*

Los Estados Unidos y Rusia afirman haber creado en laboratorio los elementos 104 a 109. No obstante, estos elementos no se han aceptado oficialmente. Todos ellos tienen vidas promedio cortísimas.

▼ *El combustible habitual en las centrales nucleares es el uranio, un elemento metálico que era el último en la tabla periódica original de Mendeleiev. Hoy conocemos 12 elementos más pesados que el uranio.*

3	4	5	6	7	8
					2 Helio He
5 Boro B	6 Carbono C	7 Nitrógeno N	8 Oxígeno O	9 Flúor F	10 Neón Ne
13 Aluminio Al	14 Silicio Si	15 Fósforo P	16 Azufre S	17 Cloro Cl	18 Argón Ar

28 Níquel Ni	29 Cobre Cu	30 Cinc Zn	31 Galio Ga	32 Germanio Ge	33 Arsénico As	34 Selenio Se	35 Bromo Br	36 Krypton Kr
46 Paladio Pd	47 Plata Ag	48 Cadmio Cd	49 Indio In	50 Estaño Sn	51 Antimonio Sb	52 Teluro Te	53 Iodo I	54 Xenón Xe
78 Platino Pt	79 Oro Au	80 Mercurio Hg	81 Thalio Ti	82 Plomo Pb	83 Bismuto Bi	84 Polonio Po	85 Astato At	86 Radón Rn

66 Disprosio Dy	67 Holmio He	68 Erbio Er	69 Tulio Tm	70 Yterbio Yb	71 Lutecio Lu
98 Califíornio Cf	99 Einstenio Es	100 Fermio Fm	101 Mendelevio Md	102 Nobelio No	103 Laurencio Lr

◄ *Los elementos superiores al elemento 92, el uranio, se llaman elementos transuránicos y son todos muy inestables y radiactivos.*

Ver ÁTOMO, NÚMERO ATÓMICO, PESO ATÓMICO, SÍMBOLOS QUÍMICOS, QUÍMICA, ELECTRÓN, ELEMENTO QUÍMICO, HIDRÓGENO, METALES

Hasta la década de 1890, cuando se inventaron los interruptores automáticos, las llamadas eran conectadas por personas a las que se llamaba operadores telefónicos. En la década de 1920 se usó la radio para transmitir algunas llamadas telefónicas. Desde la década de 1960 los SATÉLITES han transmitido

▶ *El auricular de un teléfono contiene un altavoz pequeñísimo, mientras que el otro extremo tiene un pequeño micrófono de carbón. Cuando alguien llama, las ondas sonoras de su voz hacen vibrar un diafragma de metal que presiona sobre los gránulos de carbono y altera su resistencia eléctrica. Estos cambios hacen variar una corriente eléctrica que fluye por la línea telefónica. En el auricular del receptor, esta corriente variable hace que un electroimán produzca vibraciones en otro diafragma, generando los sonidos del habla de quien llama.*

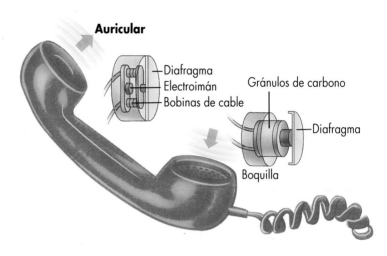

Auricular

Diafragma
Electroimán
Bobinas de cable
Gránulos de carbono
Diafragma
Boquilla

por todo el mundo una cantidad creciente de llamadas telefónicas. Durante esta misma década se hizo el primer equipo telefónico DIGITAL. Ahora, muchas llamadas se transmiten en forma de rayos LÁSER a lo largo de fibras ópticas.

Telégrafo

Un telégrafo transmite mensajes por cable u ondas de RADIO. El primer telégrafo eléctrico fue hecho en 1774 por Georges Lesage. ¡El transmisor y el receptor estaban conectados por un cable independiente para cada letra del alfabeto! En la década de 1830, dos físicos británicos, William F. Cooke y Charles Wheatstone, trabajaron en el telégrafo, y hacia la década de 1850 la telegrafía había avanzado hasta el punto de que podía enviarse información a lo largo de un solo cable en forma de pulsos de corriente eléctrica. Cada letra del alfabeto estaba representada por un código de pulsos diferente. El código de Samuel Morse se convirtió en el estándar. A finales del s. XIX, la red telegráfica se había difundido por Europa y Estados Unidos. Los continentes estaban conectados por cables colocados en el fondo del océano. La telegrafía duró hasta la década de 1950, cuando se establecieron los lazos telefónicos internacionales.

Telémetro

Un telémetro es un aparato utilizado para medir a qué distancia está un objeto. La mayor parte de ellos se apoyan en un efecto llamado PARALAJE. El paralaje describe la manera en que las cosas parecen moverse cuando se las ve desde un lugar distinto. La luz entra en el telémetro a través de dos LENTES separadas por algunos centímetros. En el visor ambas imágenes están superpuestas. Cuando se ajusta el telémetro gira en su interior un espejo. Cuando ambas imágenes se superponen hay una escala que permite leer la distancia. Hay otro tipo de telémetro mucho más exacto que usa luz LÁSER.

Telescopio

Un telescopio funciona centrando la luz de un objeto distante para formar una imagen magnificada. La imagen se examina con una LENTE poderosa, de modo que el objeto se ve cercano. Los binoculares consisten en dos telescopios paralelos. Un telescopio reflejante utiliza un ESPEJO. Los grandes telescopios astronómicos siempre usan espejos porque éstos son más fáciles de hacer y de montar que las lentes.

Los primeros telescopios astronómicos eran refractores, y en 1609 GALILEO hizo importantes descubrimientos con un instrumento manual. El telescopio Keck, cuya construcción se completa en Hawai, es el mayor del mundo, con un espejo de diez metros constituido por 36 piezas separadas. Recogerá cuatro veces más luz que el famoso telescopio de cinco metros de Monte Palomar, en California.

Ver REFLEXIÓN, REFRACCIÓN

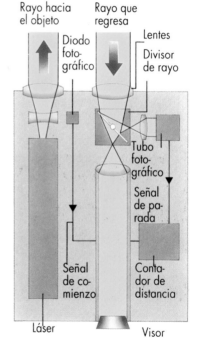

▼ El telémetro de láser moderno funciona cronometrando el tiempo que necesita un pulso de luz láser para llegar y regresar de un objeto determinado. Cuando se aprieta el disparador, un pulso de luz láser de gran intensidad se dirige hacia el objeto. Una pequeña parte de ese pulso lumínico llega al receptor, que inicia el cronómetro electrónico. La luz que regresa del objeto detiene el cronómetro y la distancia se calcula electrónicamente.

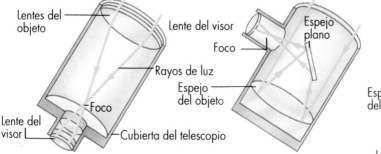

▲ Los dos tipos principales de telescopios astronómicos se llaman refractores y reflectores. Un telescopio refractor utiliza lentes para formar una imagen ampliada e invertida. Los telescopios reflectores

tienen un gran espejo curvado para recoger luz, que se refleja en un segundo espejo y va al visor.

Telescopio espacial

Los telescopios que están en la superficie de la Tierra tienen que observar a través de la ATMÓSFERA. Las corrientes de aire hacen temblar las imágenes y los gases bloquean una RADIACIÓN importante. En consecuencia, un TELESCOPIO del mismo tamaño en el espacio sería mucho más eficaz que en la Tierra. Antes del lanzamiento del telescopio espacial Hubble, que tiene un espejo de 2,5 m de ancho, desde la lanzadera espacial *Discovery* el 24 de abril de 1990, ya se habían puesto en órbita varios telescopios con objetivos precisos. El Hubble pesa once toneladas y centra las imágenes del cielo en un CCD (charge coupled device). Estas imágenes se radian a la Tierra, donde se las ve en una pantalla o bien impresas como fotografías. Sin embargo, después del lanzamiento se descubrió que la forma del espejo era errónea, de modo que en diciembre de 1993, desde otra lanzadera, se le colocaron unos espejos correctores.

▼ *Los técnicos de la sala de control de un estudio de televisión eligen las imágenes para su transmisión. Las pantallas muestran las imágenes que enfocan cada una de las cámaras.*

Televisión

La televisión es un sistema utilizado para transmitir imágenes en movimiento, y SONIDO mediante ondas de RADIO o por cable. Las cámaras convierten las imágenes en señales eléctricas. Los MICRÓFONOS convierten los sonidos en señales. La CINTA pregrabada, como por ejemplo una película, tiene el sonido y las imágenes en forma de señal. Cuando se emite el programa estas señales se envían a las antenas transmisoras. Las antenas receptoras recogen las señales y las envían a los aparatos de televisión, que vuelven a convertirlas en imágenes y sonido.

En los Estados Unidos y el Japón la imagen está compuesta por 525 líneas y se ve a una velocidad promedio de 30 imágenes por segundo.

En Europa, las imágenes televisivas están compuestas por 625 líneas y 25 imágenes por segundo. Las imágenes dan la impresión de movimiento natural porque se las muestra en rápida sucesión. La televisión de circuito cerrado (TVCC) lleva las imágenes desde una cámara directamente hasta una pantalla con TUBO DE RAYOS CATÓDICOS por cable. La TVCC se utiliza en seguridad y vigilancia para proteger de intrusos o ladrones, porterías, tiendas y bancos. Las emisiones de televisión se realizan con objetivos educativos y de entretenimiento.

Televisión por cable, *ver* Televisión

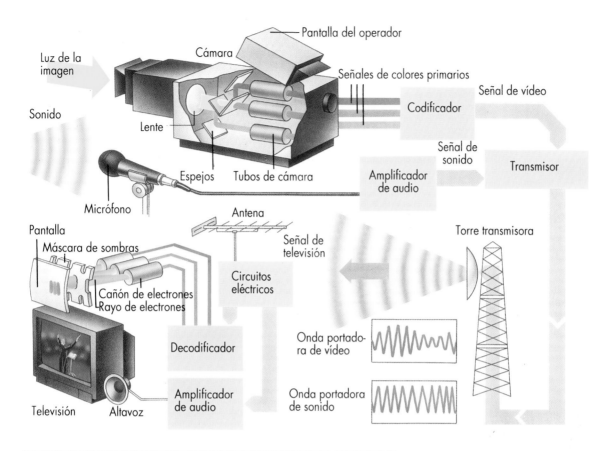

Luz de la imagen

Sonido

Cámara

Pantalla del operador

Lente

Señales de colores primarios

Señal de vídeo

Codificador

Micrófono

Espejos   Tubos de cámara

Amplificador de audio

Señal de sonido

Transmisor

Pantalla

Máscara de sombras

Antena

Torre transmisora

Señal de televisión

Cañón de electrones
Rayo de electrones

Circuitos eléctricos

Decodificador

Onda portadora de vídeo

Televisión   Altavoz

Amplificador de audio

Onda portadora de sonido

Temperatura

La temperatura mide el grado de calor de algo. Cuanto más alta es la temperatura de un material, más se mueven los ÁTOMOS que lo componen. No confundas temperatura con CALOR. El calor es la ENERGÍA almacenada en las vibraciones de los átomos. El calor agregado a un objeto produce un cambio en su estado o temperatura.

La segunda ley de la TERMODINÁMICA dice que el calor tiende a fluir de un objeto de alta temperatura a otro de temperatura menor, y nunca al revés. La temperatura más baja posible es el cero absoluto, donde los átomos han perdido toda su energía vibratoria. La UNIDAD SI de temperatura, medida desde el cero absoluto, es el KELVIN, pero la temperatura también se mide en grados FAHRENHEIT y CELSIUS.

Ver CALOR ESPECÍFICO, TERMÓMETRO, TERMOPAR

▲ *En un transmisor de televisión, la señal de vídeo de una cámara, junto con la señal de sonido de un micrófono, se utilizan para modular ondas portadoras continuas. Éstas son recogidas por la antena de televisión del receptor, desmoduladas y amplificadas para poner en marcha el tubo de imagen y el altavoz del aparato de televisión.*

Temple

El temple es un proceso utilizado para fortalecer o endurecer METAL o VIDRIO mediante calentamiento, vaciado o laminado. El material se lleva a una TEMPERATURA elevada y después se

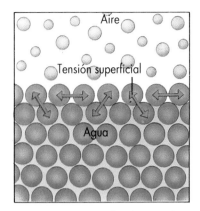

▲ *La tensión superficial es producida por la atracción entre moléculas de un líquido en su superficie, lo que produce el efecto de una piel elástica sobre el líquido. Esta piel se conoce también como el menisco.*

COMPRUÉBALO TÚ MISMO
Puedes utilizar la tensión superficial para hacer flotar una aguja en la superficie de un bol lleno de agua. Una manera de hacerlo es poner la aguja en una "balsa" de papel de pañuelo. Cuando el papel se empapa y se hunde, deja la aguja en la superficie. Ahora agrega al agua un poco de líquido detergente. Éste reduce la tensión superficial del agua y la aguja se aparta. Si añades suficiente detergente la aguja se hunde.

La aguja se aparta del detergente

enfría rápidamente. El calentamiento permite que la estructura del material se mueva, y esto alivia las tensiones internas que lo hacen resquebrajarse. A menudo se somete el acero a dos ciclos de calentamiento. Se los calienta hasta alrededor de 900°C y se lo enfría rápidamente en agua o aceite. Esto se llama temple y fortalece el acero, pero lo hace quebradizo. Su recalentamiento a 300°C y su enfriamiento lento lo hacen menos quebradizo y producen un acero duro y elástico.

Tensión superficial

La tensión superficial es la FUERZA que mantiene juntas las gotas de líquido como por ejemplo las de agua. Las MOLÉCULAS que constituyen el líquido se atraen entre sí, de modo que las moléculas de la superficie vuelven a ingresar en el líquido. Esto hace que el líquido cambie de forma para mantener su superficie como sea posible. Ésta es la razón por la cual las gotas son redondas.

Cuando una gota de líquido toca un SÓLIDO, la forma que adopta la gota depende de la fuerza adhesiva que hay entre el líquido y su superficie de contacto o recipiente, comparada con las fuerzas cohesivas del propio líquido. Si las moléculas del líquido no son atraídas hacia el sólido, la gota seguirá siendo una gota, como cuando el agua entra en contacto con una superficie cerosa o grasosa. Si, por el contrario, las moléculas del líquido son fuertemente atraídas hacia el sólido, la gota se dispersará y mojará la superficie sólida para que tantas moléculas como sea posible estén cerca del sólido, como en la CAPILARIDAD.
La tensión superficial del agua puede reducirse agregándole jabón o detergente. Esto la hace mejor para mojar las superficies grasas, y en consecuencia mejor para limpiarlas.

Teodolito

Un teodolito es un instrumento que mide ángulos verticales y horizontales y se utiliza para estudiar exactamente una gran zona de tierra. Se utiliza, por ejemplo, en los estudios originales a partir de los cuales se trazan los MAPAS. Los teodolitos tradicionales tienen una especie de TELESCOPIO montado en un trípode, de manera tal que puede girarse horizontalmente así como inclinarse hacia arriba y hacia abajo. Los ángulos de rotación o inclinación se indican mediante escalas angulares exactas que hay en el instrumento. El teodolito se usa para determinar las posiciones precisas de distintos puntos de la zona. Actualmente se usan instrumentos aún más exactos, con rayos láser, para medir ángulos y distancias.

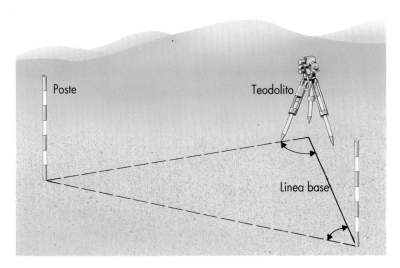

◀ *Conociendo la longitud exacta de la línea base, se puede usar un teodolito para medir los ángulos de un triángulo y calcular después la longitud de sus lados.*

Teoría cuántica

La teoría cuántica se elaboró en las primeras décadas de este siglo como un intento de explicar ciertos fenómenos que no podían ser explicados mediante los principios clásicos de la física. En 1900, Max PLANCK, científico alemán, sugirió la idea de los cuantos para explicar la manera en que los objetos calientes emitían LUZ. Albert EINSTEIN elaboró la teoría de Planck y estableció que la luz consiste en diminutas partículas de ENERGÍA que se comportan como ONDAS. En 1913 Niels Bohr, científico danés, demostró la manera en que los ÁTOMOS irradian luz. Gran parte de esta teoría original de los cuantos ha sido sustituida por elaboraciones posteriores en MECÁNICA CUÁNTICA.

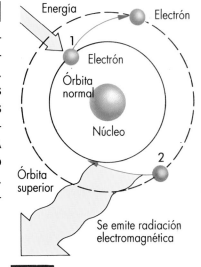

▶ *La teoría de los cuantos establece que la radiación electromagnética, como la luz, se emite en paquetes de energía separados llamados cuantos o fotones. Los electrones se mueven en órbitas fijas en torno al núcleo del átomo. Cuando un átomo de una sustancia absorbe energía, por ejemplo mediante calentamiento, uno de sus electrones recibe una "patada" de energía y pasa a una órbita más alta (1). Cuando regresa a su órbita original, emite el mismo paquete de energía en forma de fotón de radiación (2).*

Teoría de la expansión

La teoría de la expansión del UNIVERSO establece que las GALAXIAS que se encuentran en el espacio se alejan unas de otras, como si fuera a causa de una explosión, el BIG BANG.

Estudiando el CORRIMIENTO AL ROJO de su luz, los astrónomos pueden medir la velocidad a la cual se desplazan las galaxias. Han descubierto que por cada millón de años luz más de distancia esta velocidad aumenta en alrededor de 15 km/s.

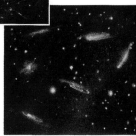

▶ *La teoría de la expansión dice que las galaxias se alejan unas de otras.*

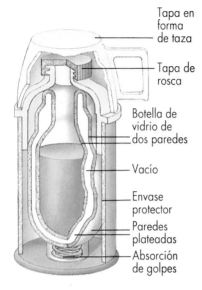

Tapa en
forma
de taza

Tapa de
rosca

Botella de
vidrio de
dos paredes

Vacío

Envase
protector

Paredes
plateadas

Absorción
de golpes

▲ *Un termo mantiene calientes los líquidos calientes o fríos los líquidos fríos, evitando la transferencia de calor entre el contenido y el exterior. El vacío evita que el calor se pierda por convección, y el plateado de las paredes de la botella evita que el calor fluya por radiación.*

Este hecho fue descubierto por el astrónomo estadounidense Edwin Hubble (1889-1953), de modo que la relación entre velocidad y distancia se conoce como ley de Hubble. La idea de un "universo en expansión" que se inició con el Big Bang es el fundamento de la COSMOLOGÍA moderna.

Termo

Un termo es un envase que se usa para mantener líquidos o gases fríos o calientes. Se conoce también como frasco de Dewar por sir James Dewar, el científico escocés que lo inventó en la década de 1890. Se hace con una botella de doble vidrio. El aire que queda en el espacio entre los dos vidrios se extrae para crear un VACÍO. Las paredes de vidrio que dan al vacío están plateadas como un ESPEJO. El vacío evita que el CALOR pase por ese espacio por contacto con las moléculas del aire. Esta transferencia de calor se llama CONVECCIÓN. El plateado refleja calor, evitando que cruce el espacio mediante RADIACIÓN. En 1925 se puso a la venta una botella de vacío encerrada en un estuche de protección, para llevar bebidas frías o calientes.

Termodinámica

La termodinámica es el estudio del CALOR y la manera en que fluye de un lugar al otro. Muchos procesos involucran calor, no sólo los sistemas de CALEFACCIÓN, sino también los MOTORES y máquinas de todo tipo. Hay tres leyes de la termodinámica. La primera dice que el calor no es más que una forma de ENERGÍA, y que la cantidad total de energía del mundo permanece siempre igual. Los motores de calor, una TURBINA DE GAS o REACTOR NUCLEAR convierten la energía del COMBUSTIBLE en energía calórica. En consecuencia, si se produce calor tiene que haberse suministrado exactamente la misma cantidad de alguna otra forma de energía. Por ejemplo, el calor producido por una estufa eléctrica es igual a la enegía eléctrica que se le ha suministrado.

La segunda ley dice que la energía calórica siempre pasará de un objeto más caliente a uno más frío, en lugar de al revés. Por ejemplo, nunca vemos que el calor pase de una taza fría al café caliente que contiene, haciéndolo aún más caliente. La tercera ley dice que es imposible seguir extrayendo calor de un objeto de modo que alcance el cero en la escala de KELVIN.

De hecho, hay una cuarta ley, el principio cero. Depende de las otras y se formuló después. Dice que si dos objetos están a la misma temperatura que un tercero, entonces los tres están a la misma temperatura.

Ver ENTROPÍA, FÍSICA, TEMPERATURA

Termómetro

Un termómetro es un instrumento que mide la TEMPERATURA. Para hacerlo puede ser de cualquier material que cambie con la temperatura. El más común es el termómetro de mercurio. Se pone algo de MERCURIO en una cubeta y se expande o se contrae por un tubo estrecho a medida que cambia la temperatura. Cuando la temperatura puede caer por debajo del PUNTO DE CONGELACIÓN del mercurio (–39°C), se utiliza alcohol. Las paredes de vidrio de la cubeta y el tubo también se expanden y contraen, de modo que para descubrir a qué temperatura corresponde una posición determinada del mercurio (o alcohol), es necesario "calibrar" cuidadosamente el termómetro.

Los termómetros de esfera, que se usan en los hornos, miden la temperatura percibiendo la EXPANSIÓN distinta de dos metales.

Ver TIRA BIMETÁLICA, CONTRACCIÓN, TERMOPAR

▼ *Un termómetro clínico mide la temperatura corporal. Por lo general, se coloca la cubeta del termómetro durante uno o dos minutos bajo la lengua del paciente. Cuando se quita el termómetro, el hilo de mercurio se interrumpe en una depresión que hay por encima de la cubeta, para evitar que baje. Esta es la razón por la cual es necesario sacudir el termómetro antes de usarlo (para reunificar el hilo de mercurio).*

Cubeta

Mercurio

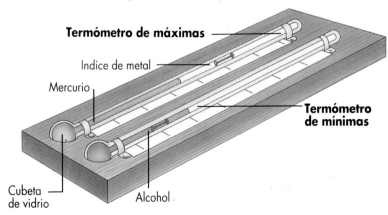

Termómetro de máximas

Indice de metal

Mercurio

Termómetro de mínimas

Cubeta de vidrio

Alcohol

◄ *Hay un tipo de termómetro de máximas y mínimas que en realidad es dos termómetros, uno de mercurio y otro de alcohol. A medida que la columna de mercurio se eleva, empuja un índice de metal que hay dentro del tubo, que permanece en la temperatura máxima alcanzada aun después de que vuelva a caer el mercurio. Un índice en el termómetro de alcohol registra la temperatura más baja (mínima).*

Termopar

Un termopar es un lazo hecho de dos materiales diferentes, por lo general METALES. Se usa para medir la TEMPERATURA o para transferir CALOR. Los dos lugares en que se juntan los metales diferentes se llaman empalmes; cuando los dos empalmes se mantienen a temperaturas distintas, en torno al lazo aparece un voltaje eléctrico. Esto sucede porque los ELECTRONES de los metales se mueven ligeramente, a causa de la diferencia de temperatura en los dos extremos. Los electrones transportan carga eléctrica, de modo que este movimiento de los electrones produce un voltaje. El movimiento de los electrones en los dos metales es distinto, de modo que también son distintos los voltajes que aparecen a lo largo de las dos mitades del lazo. La magnitud del voltaje producido depende de la diferencia de temperatura de los empalmes, de modo que se puede usar el termopar con un VOLTÍMETRO como un TERMÓMETRO exacto.

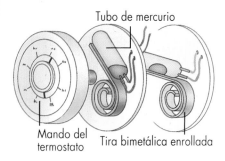

Tubo de mercurio

Mando del termostato

Tira bimetálica enrollada

▲ *Un tipo común de termostato es el que emplea una tira bimetálica enrollada que hace inclinar un tubo que contiene una burbuja de mercurio. El mercurio cierra el circuito entre dos contactos. Cuando el tubo se inclina apartándose del mercurio, el circuito se interrumpe.*

Termostato

Un termostato es un dispositivo autómatico de control de la TEMPERATURA. Por lo general, la parte de un termostato sensible a la temperatura es una TIRA BIMETÁLICA. Es una tira hecha de dos metales distintos soldados, que se expanden y contraen en proporciones diferentes, de modo que mientras un lado se expande más que el otro la tira se dobla. Se usa para cerrar o interrumpir un CIRCUITO eléctrico. Es posible variar la temperatura del termostato usando un destornillador para acercar o alejar un contacto del control. En un sistema de CALEFACCIÓN, si la habitación se enfría la tira bimetálica del termostato se dobla y cierra un circuito, poniendo en funcionamiento el sistema. A medida que la habitación se caldea, la tira se dobla en dirección opuesta, interrumpe el circuito y apaga el sistema. Los termostatos se usan en REFRIGERACIÓN para almacenar la comida a la temperatura correcta, y también como dispositivos de seguridad para prevenir el calentamiento excesivo del equipo.

Ondas de choque

Estación registradora

Epicentro

Radio de identificación

▲ *El punto de la Tierra que está por encima del origen de un terremoto se llama "epicentro". El origen de un terremoto, el "hipocentro", puede producirse en rocas que están hasta a 500 kilómetros por debajo de la superficie terrestre. Los terremotos son la consecuencia de movimientos de rocas bajo tensión. Las vibraciones del terremoto parten del hipocentro e irradian hacia afuera.*

Terremotos

Un terremoto es una serie de ondas de choque que atraviesan la TIERRA. Esto produce a su vez más movimientos que dan como resultado una fractura en las rocas profundamente incrustadas en la corteza terrestre. La corteza está formada por una cantidad de placas que pueden moverse. Los terremotos se producen en su mayor parte en los bordes de estas placas y pueden estar asociados a la actividad volcánica.

En 1906, cuando se produjo un movimiento en el sistema de la falla de San Andrés, en la costa oeste de California, hubo un grave terremoto que causó extensos daños y un incendio que produjo la muerte de 500 personas. En 1989 la falla volvió a moverse y hubo otra sacudida, pero los daños no fueron tan graves.

Los terremotos se producen continuamente pero pocos de ellos causan una destrucción extendida. La severidad de los terremotos se mide por la escala de Richter. El 1,5 de la escala es la sacudida mínima que puede sentirse, un terremoto de 4,5 produce algún daño; y un terremoto de 8,5 o más es devastador. Menos de 20 terremotos por año registan por encima de 7 en la escala de Richter.

Test de la llama *ver* Análisis químico

Tiempo

La gente siempre ha tenido que comprender el paso del tiempo. Hay dos unidades naturales de tiempo: el día, que es el tiempo que necesita la TIERRA para girar sobre su eje; y el año, que es el tiempo que la Tierra necesita para describir una órbita en torno al Sol. Se han inventado gran cantidad de aparatos para medir los tiempos menores que un día. El reloj de sol utilizaba la sombra proyectada por el Sol para medir el tiempo, mientras que el reloj de arena y la clepsidra utilizaban el flujo de arena o agua. Con la invención del PÉNDULO, se hizo posible construir RELOJES de pared y de pulsera mecánicos más exactos. Ahora es posible hacer mediciones muy exactas del tiempo con los "relojes de cuarzo", que funcionan contando las vibraciones regulares de un pequeño CRISTAL de cuarzo; y los "relojes atómicos", que funcionan contando las vibraciones regulares de la LUZ emitida por los ÁTOMOS. La UNIDAD SI de tiempo es el segundo.

La teoría de la RELATIVIDAD nos dice que en realidad el espacio (longitud, anchura y altura) y el tiempo no son cosas separadas, sino que se reúnen para constituir el ESPACIO-TIEMPO, que a veces se llama la cuarta dimensión.

Tiempo atmosférico

Se da el nombre de tiempo atmosférico a la combinación de las cambiantes condiciones de la ATMÓSFERA, como por ejemplo la temperatura, la PRECIPITACIÓN, la presión atmosférica, la HUMEDAD, las horas de Sol, la cantidad y clase de las NUBES y la velocidad y dirección del VIENTO. En algunas partes del mundo, como por ejemplo en Australia Occidental, el tiempo atmosférico puede ser el mismo semana tras semana y mes tras mes. En otras partes es muy inestable y puede cambiar de una hora a otra.

El tiempo atmosférico no es lo mismo que el CLIMA. El clima es el tiempo promedio de una zona en un largo período de tiempo. El tiempo atmosférico puede cambiar de un día a otro y es una mezcla de muchas cosas. Los científicos comprenden algunas de estas cosas. Pero otras todavía son un misterio. Casi todo el tiempo atmosférico se produce en la capa más baja de la atmósfera, la troposfera, y depende de cuatro elementos: temperatura, viento, presión del aire y humedad. La frontera entre dos masas de aire distintas se llama un FRENTE, y son estos frentes, que atraviesan una región, los que dan lugar al tipo de tiempo atmosférico.

Un día

Tierra

La Tierra gira una vez sobre su eje

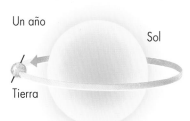

Un año

Sol

Tierra

La Tierra da una vuelta alrededor del Sol

Un mes lunar

Tierra

Luna

▲ *Un día es exactamente el tiempo que necesita la Tierra para girar una vez sobre sí misma. Un año es aproximadamente el tiempo que necesita la Tierra para girar alrededor del Sol. Pero no es exacto y para equilibrar las cosas, cada cuatro años tenemos los años bisiestos, que tienen un día más. El mes se basa sólo aproximadamente en el tiempo que necesita la Luna para girar alrededor de la Tierra.*

TIERRA

El planeta en el cual vivimos no es completamente redondo. En realidad tiene una ligera protuberancia en el ecuador y es achatado en los polos, forma que se conoce como esferoide oblato. Podemos considerar nuestro mundo como una serie de bolas, una dentro de la otra, como las capas de una cebolla. En primer lugar está el propio planeta, la geosfera, cuya parte exterior, rocosa, llamamos litosfera. Allí viven las plantas y animales que constituyen la biosfera. Rodeándola está la envoltura de aire conocida como atmósfera, que a su vez está dividida en una cantidad de capas, desde la más baja, la troposfera, pasando por la estratosfera y la mesosfera, hasta la termosfera, también llamada ionosfera, a una altura de 80 km de la superficie terrestre. Nuestro tiempo atmosférico se produce en la troposfera.

El interior de la Tierra (geosfera) también está formado por capas. En el centro hay un núcleo sólido hecho de una aleación de hierro-níquel bajo presión. Rodeándolo, hay un núcleo externo líquido compuesto principalmente por níquel y hierro, pero con cierta cantidad de un material más ligero como el sílice o el azufre. Dentro de la capa siguiente, el manto, el material se eleva y cae como resultado de su calentamiento y enfriamiento. Se cree que estos movimientos son los que dan origen a los procesos de deriva continental y placas tectónicas. La corteza rocosa suele variar en su composición y está hecha de una amplia gama de tipos de roca.

¿Una Tierra plana?

Hasta hace unos 500 años, mucha gente creía que la Tierra era plana. Temían que si un barco se alejaba mucho hacia el este o el oeste, caería por el borde. Después, los primeros viajes de descubrimiento demostraron que la Tierra es redonda. Cuando Colón zarpó en 1492, buscaba una nueva manera de llegar a Asia y a la India navegando desde Europa hacia el oeste, con la esperanza de dar la vuelta al mundo. En cambio, descubrió América.

Hace 1.500 millones de años

Hace 500 millones de años

Hace 4.600 millones de años

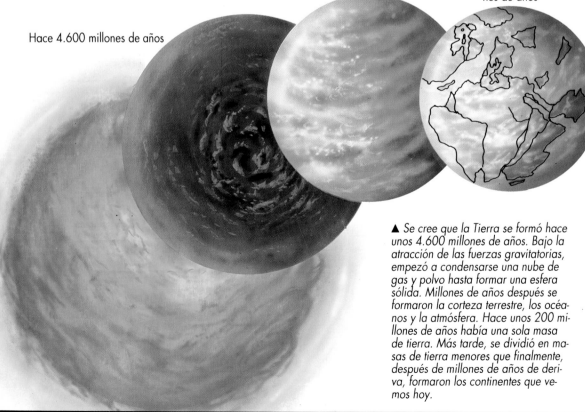

▲ Se cree que la Tierra se formó hace unos 4.600 millones de años. Bajo la atracción de las fuerzas gravitatorias, empezó a condensarse una nube de gas y polvo hasta formar una esfera sólida. Millones de años después se formaron la corteza terrestre, los océanos y la atmósfera. Hace unos 200 millones de años había una sola masa de tierra. Más tarde, se dividió en masas de tierra menores que finalmente, después de millones de años de deriva, formaron los continentes que vemos hoy.

▲ Las imágenes de satélite demuestran que la Tierra, a la que alguna gente creía plana, tiene la forma aproximada de una bola. El agua cubre alrededor del 71% (361 millones de km²). La Tierra constituye alrededor del 29% o 149 millones de km².

Corteza

Manto

Núcleo exterior

Núcleo

◄ El grosor de la corteza terrestre varía desde alrededor de 8 km debajo de los océanos hasta alrededor de 40 km bajo los continentes. El interior de la Tierra está dividido en tres partes: el manto, el núcleo exterior y el núcleo interior. El manto es roca sólida de unos 2.900 km de espesor. El núcleo externo tiene un espesor aproximado de 2.250 km.

Agua 71%

Tierra 29%

Más de dos tercios de la superficie terrestre están cubiertos de agua. Las zonas de tierra sólo constituyen el 29%.

Hace 200 millones de años

Hace 100 millones de años

En la actualidad

▼ La Tierra gira alrededor de su eje, que tiene una inclinación aproximada de 23° respecto de la vertical. Esta inclinación y el movimiento de la Tierra alrededor del Sol provocan el cambio de las estaciones. La mitad norte de la Tierra se inclina hacia el Sol en verano, y se aparta de éste en invierno (abajo).

23°

DATOS Y CIFRAS SOBRE LA TIERRA

Población mundial 5.250 millones
Circunferencia 40.075 km
Diámetro en el Ecuador 12.756 km
Diámetro en los polos 12.713 km
Distancia del Sol 150 millones de km
Edad Alrededor de 4.600 millones de años

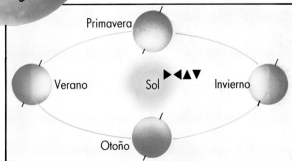

Primavera

Verano

Sol ►◄▲▼

Invierno

Otoño

Ver ATMÓSFERA, CONTAMINACIÓN, CONTINENTE, ELEMENTOS, GEOGRAFÍA, GEOLOGÍA, HEMISFERIO, LUNA, PLACAS TECTÓNICAS, SISTEMA SOLAR

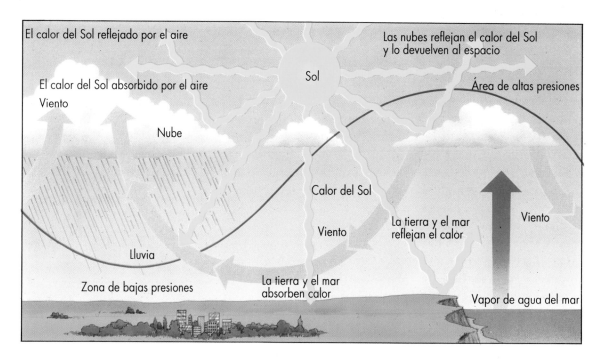

El calor del Sol reflejado por el aire

Las nubes reflejan el calor del Sol y lo devuelven al espacio

Sol

El calor del Sol absorbido por el aire

Viento

Área de altas presiones

Nube

Calor del Sol

La tierra y el mar reflejan el calor

Viento

Viento

Lluvia

Zona de bajas presiones

La tierra y el mar absorben calor

Vapor de agua del mar

▲ El calor del Sol y los efectos que produce en la atmósfera son los que determinan el tiempo atmosférico. El calor del Sol provoca la evaporación del agua. El vapor de agua forma nubes en la atmósfera, que dan lluvia o nieve. El calor del Sol caldea el aire, que se eleva creando áreas de bajas presiones. El viento es el aire que pasa de las áreas de altas presiones a las de bajas presiones.

▲ Algunos de los grandes recipientes de tinte que se usan para teñir cuero en la industria marroquí.

Tinte

Un tinte es un COMPUESTO que da COLOR duradero y definido a los textiles (fibras, hilos y telas), al alimento, al papel y la tin-

COMPRUÉBALO TÚ MISMO
Prueba a teñir algunas prendas viejas de algodón con tintes naturales. Para conseguir el rojo, utiliza remolachas, para el verde prueba con espinacas; para el marrón utiliza té y café. Coge las hojas o frutos de las plantas y cúbrelos con agua hirviendo. Déjalos reposar 15 minutos. Filtra el líquido para obtener el que vas a usar para teñir.

ta, los plásticos, la madera y muchos otros materiales. El tinte funciona porque el material absorbe sus moléculas. Por ejemplo, se colocan los textiles en un baño de tinte que contiene una SOLUCIÓN del tinte y extrae las MOLÉCULAS de éste. Los tintes más duraderos son aquellos cuyas moléculas forman ENLACES químicos con las moléculas del material que se quiere teñir. Algunas telas teñidas palidecen con la luz del Sol o con el lavado frecuente. Su capacidad para retener el color puede mejorarse agregando una sustancia llamada "mordiente" en el baño de tintura. Los mordientes enlazan las moléculas del tinte a la tela. Hace 5.000 años que la gente tiñe textiles y otros materiales. Antes de finales del siglo XIX se utilizaban tintes naturales de las plantas, tales como la rubia (rojo brillante) y el añil (azul profundo y oscuro). En el siglo XX se han hecho nuevos tintes sintéticos. Una clase importante de tintes son los tintes azo-, que producen un color intenso cuando dos compuestos orgánicos incoloros reaccionan juntos. Se utilizan con el acrílico, el algodón, el náilon y el rayón.

Titanio

El titanio es un ELEMENTO blanco plateado. Es un metal fuerte y liviano que puede resistir altas temperaturas y no se corroe. Junto con sus ALEACIONES, se lo usa en la industria aeroespacial para construir aviones y COHETES y para fabricar repuestos para industrias químicas, buques de guerra y misiles. El titanio está muy distribuido por la corteza terrestre, y se lo ha encontrado en METEORITOS e incluso en la Luna. Su principal compuesto es su ÓXIDO, que aparece en el rutilo, mineral del cual se extrae el metal. El óxido de titanio se usa como PIGMENTO blanco en pinturas y como relleno en la fabricación de papel, goma y plásticos. Para fabricar los BRAZOS de los tocadiscos, se convierte en cristales un compuesto de titanio y bario, el titanato de bario.

TNT

El TNT es un poderoso EXPLOSIVO cuyo nombre completo es trinitrotolueno, llamado a veces metil-trinitrobenceno. Se utiliza en bombas y balas, a menudo mezclado con otros explosivos como el nitrato de amonio. Se utiliza también en las cabezas de los MISILES teledirigidos. El TNT es un sólido amarillo que se fabrica tratando el tolueno, conocido también como metilbenceno, que se obtiene del carbón o del petróleo, con una mezcla de ÁCIDO NÍTRICO y ÁCIDO SULFÚRICO. El TNT es más estable que los explosivos como la NITROGLICERINA y el ácido pícrico

William Perkin (1838-1907)
William Perkin descubrió los tintes de anilina, que fueron los primeros en hacerse en laboratorio. Hasta entonces, todos los tintes provenían de animales y plantas. Hizo su primer tinte, llamado mauvene, por puro azar, mientras trataba de encontrar una manera de conseguir la droga quinina. Tenía sólo 18 años, y hubo que cambiar la ley para permitirle sacar una patente de su descubrimiento. El comienzo de los tintes sintéticos resultó desastroso para los granjeros que cultivaban plantas de tinte como la rubia y el añil y muchos de ellos se arruinaron.

▲ El titanio se encuentra en muchas formas. Estos son cristales del mineral natural llamado titanita. La titanita contiene también calcio y silicio, y se encuentra en varios tipos de roca.

Aunque el TNT es un explosivo muy poderoso, puede manejarse con seguridad. Su aspecto es el de pálidos cristales amarillos.

(trinitrofenol), que son muy sensibles a los golpes y, en consecuencia, más peligrosos de manejar. Para estallar, el TNT necesita una pequeña carga explosiva o detonador.

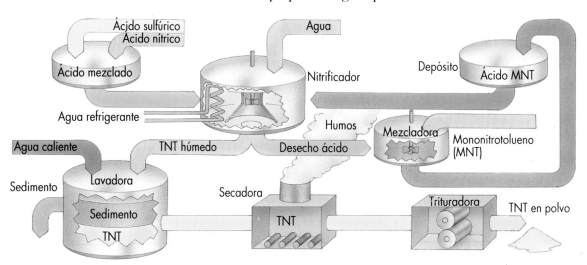

▲ En la fabricación de TNT, se convierte primero el tolueno en mononitrotolueno (MNT). Después, éste se hace ácido. El ácido MNT pasa al interior del nitrificador donde se mezcla con ácido fuerte. Esta reacción genera calor y podría resultar peligrosa si la temperatura llegara a ser excesiva, de modo que la reacción se mantiene fresca mediante la circulación por tuberías de agua fría.

▲ La teoría del universo de Tolomeo (errónea), que tenía la Tierra por centro, se mantuvo sin desmentirse durante 1.500 años.

Tolomeo

Tolomeo (100-h.165 d.C.), que vivió en Alejandría, Egipto, fue matemático, geógrafo y astrónomo. Creía que la TIERRA "habitada" medía unos 7.000 km de norte a sur y unos 12.000 km de este a oeste. Más allá de estos límites estaba la "tierra desconocida" o el mar. En aquellos tiempos se creía que la Tierra era el centro del UNIVERSO. Los astrónomos se habían interrogado durante siglos sobre los movimientos de los planetas por el cielo, con sus giros y cambios de brillo. Tolomeo sugirió que, a medida que cada PLANETA se movía alrededor de la Tierra, lo hacía también en un círculo mucho más pequeño llamdo "epiciclo". Aunque se equivocaba, esta teoría coincidía más o menos con el movimiento observado de los planetas por el cielo. Tolomeo elaboró también un catálogo de estrellas, que contenía 48 constelaciones, que todavía está vigente.

Tornado

Un tornado o "ciclón", como se lo llama en otras zonas geográficas, es un viento en forma de embudo, que gira con gran violencia y recorre la tierra o el mar causando destrucción por donde quiera que pasa. Los tornados se asocian con el mismo tipo de condiciones meteorológicas que originan las tormentas de TRUENOS. En las zonas que rodean el golfo de México, donde la atmósfera es muy inestable a causa del encuentro del aire húmedo con el frío aire polar, se producen muchos tornados. La

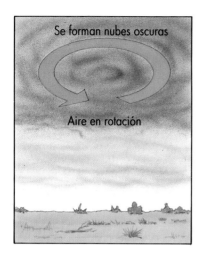

Se forman nubes oscuras

Aire en rotación

El aire en rotación forma un embudo

El embudo llega al suelo y recoge polvo

velocidad del viento en un ciclón puede llegar a los 600 km/h, levantando los vehículos del suelo. Los tornados que se producen en el mar pueden causar trombas. Si pasan sobre zonas de desierto, dan origen a tormentas de arena en forma de columnas. En 1925, un tornado que barrió el sur de Estados Unidos causó la muerte de casi 700 personas.

▲ *Antes del inicio de un tornado, aparecen en el cielo grandes nubes de tormenta. Una zona de estas nubes se vuelve especialmente oscura y densa. En esa zona el aire gira a toda velocidad. Empieza a formarse y a bajar una nube en forma de embudo. Con frecuencia hay relámpagos, lluvia y granizo. Si el embudo de viento llega al suelo, levanta una gran nube de polvo y otros materiales.*

Tornasol

El tornasol es un polvo rojo o azul que se obtiene de ciertos tipos de plantas llamadas líquenes. Es una mezcla de compuestos orgánicos que se prepara tratando el liquen con amoníaco, potasa y cal. El tornasol es SOLUBLE en agua o alcohol y se utiliza como INDICADOR químico para probar si las SOLUCIONES son ÁCIDOS o álcalis. El ácido vuelve azul el tornasol rojo, y el álcali vuelve rojo el tornasol azul. El papel tornasol es un papel absorbente impregnado con una solución de tornasol. La mayor

Ácido

Álcali

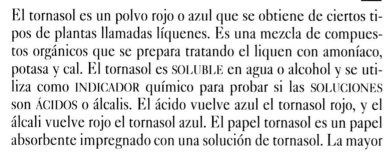

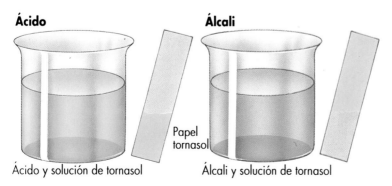

Papel tornasol

Ácido y solución de tornasol

Álcali y solución de tornasol

◄ *El tornasol es un tinte vegetal que se vuelve rojo con los ácidos y azul con los álcalis.*

parte del tornasol se obtiene de líquenes que crecen en los Países Bajos. En otras épocas se utilizó como TINTE.

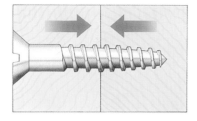

▲ *Un tornillo de madera actúa como una cuña larga y delgada que se ha dispuesto en torno a un cilindro. Cuando haces girar el tornillo, la acción de la cuña une ambas piezas de madera.*

▼ *Un torno moderno puede crear una articulación de cadera artificial basándose en la información que le transmite un ordenador. Primero se hacen en un ordenador, dibujos exactos de la articulación, y la información relacionada con sus dimensiones se transmite directamente al torno.*

▶ *La mecanización exacta en un torno requiere ajustes muy precisos del ángulo de la herramienta cortante y la velocidad de rotación del torno.*

Tornillo

El tornillo es una de las seis MÁQUINAS simples. Es muy útil. Los instrumentos que emplean un regulador de tornillo, como por ejemplo el MICRÓMETRO, pueden hacer mediciones muy exactas del tamaño y espesor de los objetos. Los tornillos y cerrojos pueden unir cosas. Los gatos se utilizan para levantar grandes pesos, como por ejemplo coches. El engranaje de tornillo sin fin utiliza filetes para transmitir el movimiento de rotación de un eje a otro eje que está en ángulo recto con el primero. Consiste en un eje con un filete, el engranaje de tornillo sin fin, que actúa con una rueda helicoidal.

Las abrazaderas usan un filete de tornillo para acercar sus dos partes. Un mecanismo de tornillo es el que enfoca las LENTES de una cámara. Muchos de los ajustes necesarios para que las máquinas funcionen eficazmente utilizan mecanismos de tornillo para abrir o cerrar válvulas o para cambiar el valor de los componentes variables de un CIRCUITO eléctrico.

Torno

Un torno es una MÁQUINA utilizada para dar forma a madera o metal, en la cual el objeto gira contra una herramienta que es la que hace el torneado. La herramienta cortante se apoya en el objeto giratorio para eliminar el material no deseado. Esto se llama torneado. Para el torneado de madera, las herramientas pueden manejarse a mano, apoyándolas contra un soporte. Para el torneado de metal, las herramientas cortantes están fijadas a una plataforma móvil controlada por dos ruedas manuales.

Se puede usar un torno para taladrar, pulir y cortar tornillos para convertirlos en varas de metal. Hay algunos tornos en los cuales un ordenador controla exactamente la velocidad del motor y la posición de la herramienta.

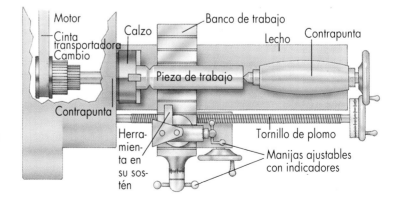

Torsión

En ciencia se usa la palabra torsión para designar el giro. Un objeto está "en torsión" cuando uno de sus extremos está girado respecto del otro. En FÍSICA, la torsión es la cantidad de giro de un extremo respecto del otro, dividido por la distancia entre ambos. La torsión puede ser causada por una fuerza retorcedora o MOMENTO DE TORSIÓN. La palabra también se utiliza en BIOLOGÍA para describir animales o plantas que no se desarrollan en líneas rectas sino que giran a medida que crecen.

Un caracol comienza como larva con un cuerpo recto. Pero, a medida que crece, la larva empieza a enrollarse y experimentar torsión. Un lado del cuerpo del caracol crece más rápido que el otro, produciendo la torsión del cuerpo.

Trabajo

En FÍSICA se dice que hay trabajo cuando un objeto en el cual actúa una FUERZA se mueve en la dirección de esa fuerza. Por ejemplo, si ayudas a empujar un coche y éste se mueve, realizas un trabajo. Por otra parte, si estás de pie inmóvil con un libro pesado en la mano, no realizas ningún trabajo, ya que el libro no se mueve. De la misma manera, si empujas el coche desde uno de sus costados, aunque el coche se mueva hacia adelante (no hacia el lado) no haces ningún trabajo, porque el coche no se ha movido en la misma dirección en la que estabas empujando.

El trabajo es la manera en la cual la ENERGÍA pasa de una forma a otra. Si tienes cierta cantidad de energía quiere decir que eres capaz de hacer cierta cantidad de trabajo. El trabajo y la energía se miden en JULIOS. Por ejemplo, cuando empujas el coche la energía química almacenada en tu cuerpo se aplica a la

▼ El trabajo realizado usando una llave inglesa es igual a la fuerza aplicada al mango, multiplicada por la distancia en que éste se mueve en la dirección de la fuerza.

Trabajo (esfuerzo)

▼ En una locomotora de vapor, la presión del vapor realiza un trabajo porque hace que los pistones se muevan. La energía calórica del vapor se convierte en la energía

mecánica del pistón móvil. Pero se pierde parte de energía en el trabajo que hay que hacer para superar la fricción en las partes móviles.

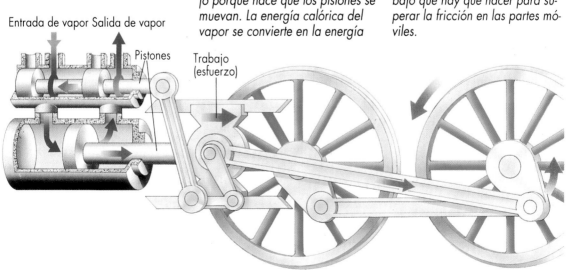

Entrada de vapor   Salida de vapor

Pistones

Trabajo (esfuerzo)

▲ *Se realiza trabajo cuando una fuerza hace que algo se mueva en la dirección de esa fuerza. Empujar un coche implica trabajo, pero sostener un libro no, porque el libro no se mueve.*

▶ *En el corazón de este traductor portátil hay un microordenador. Los hombres de negocios y los turistas utilizan estos pequeños traductores.*

realización del trabajo, lo que aumenta la energía cinética del coche. Las máquinas están pensadas para hacer el mejor uso posible del trabajo que se realiza, reduciendo las fuerzas de FRICCIÓN, la cantidad de energía cinética perdida o gastada en forma de CALOR, y así sucesivamente.

Traducción por ordenador

La traducción por ordenador es la conversión de una lengua en otra realizada por un ORDENADOR. En la MEMORIA DEL ORDE-NADOR pueden almacenarse las palabras en un idioma y sus equivalentes en otro. Si se le da una palabra al ordenador, éste presenta la palabra equivalente en la otra lengua. Traducir frases es más complicado que traducir una sola palabra, porque las reglas que ordenan la sucesión de las palabras son distintas en las diversas lenguas. Sin embargo, hay programas de ordenador que incluyen estas reglas y pueden traducir frases. Todavía no es posible hacer una traducción exacta por ordenador.

Tranquilizantes y estimulantes

Muchas DROGAS ejercen un efecto en el sistema nervioso y algunas pueden cambiar nuestro estado de ánimo y emociones. Los tranquilizantes y estimulantes pertenecen a este tipo de medicamentos. Trabajan modificando la manera en la que se comunican los NERVIOS, bloqueando o aumentando las pequeñísimas cantidades de sustancias neurotransmisoras que en el CEREBRO transportan señales de una célula nerviosa a otra. Los tranquilizantes actúan serenando y relajando, de modo que suelen darse a la gente antes de una operación. También se los da a veces a personas preocupadas y agitadas o que se sienten deprimidas. No obstante, recientemente se ha descubierto que aunque estos tranquilizantes son muy eficaces, la mayor parte de ellos son también drogas fuertemente adictivas si se toman durante cierto tiempo. Ahora se insta a los médicos a que no las receten, salvo en los casos en que son realmente necesarias. Las píldoras para dormir o hipnóticos son drogas del mismo tipo, pero se toman en dosis mayores para producir el sueño.

Los estimulantes tienen el efecto opuesto, haciendo que la gente se sienta mentalmente despierta y activa. El café y el té contienen la sustancia CAFEÍNA, un estimulante que en cantidades normales es inofensivo, pero que si se toma en grandes cantidades o por la noche puede impedir el sueño. Por desgracia, a menudo se abusa de los poderosos estimulantes médicos, de modo que ahora se recetan muy rara vez.

Transformador

Un transformador convierte una señal eléctrica de un voltaje a otro. Trabaja sólo con una corriente alterna (que fluye primero en una dirección y después en la otra) y no con una corriente continua (que fluye siempre en la misma dirección). Esto es porque el transformador funciona utilizando la IN-DUCCIÓN electromagnética. La corriente produce un campo magnético en una "bobina primaria" (o solenoide), conectada a la entrada del transformador. El campo magnético atraviesa el centro de otro solenoide, la "bobina secundaria". A medida que el campo magnético cambia con la corriente alterna, crea un voltaje alterno en la bobina secundaria. Si en la bobina secundaria hay más vueltas que en la primaria, el voltaje secundario (salida) es más alto que el primario (entrada), y el transformador es un *transformador de paso alto*, y en el caso opuesto, si el voltaje de salida es menor, es un *transformador de paso bajo*.

La energía ELÉCTRICA se transmite a voltajes muy altos porque esto reduce la pérdida debida a la RESISTENCIA de los cables. Los transformadores de paso bajo reducen el voltaje antes de entrar en los hogares.

Transistor

Un transistor es un artefacto electrónico utilizado como interruptor o para amplificar una corriente eléctrica o voltaje. Es un artefacto SEMICONDUCTOR hecho con semiconductores de tipo-p y tipo-n, arreglados en una estructura p-n-p o n-p-n. Las tres capas se llaman emisor, base y colector. Una pequeña corriente que entra en la base hace que descienda la resistencia emisor-colector, y permite que fluya entre ellos una corriente mayor, de modo que la corriente emisor-colector es una copia amplificada de la corriente base. El transistor fue elaborado en 1948 por William Shockley y otros. Reemplazó a la lámpara o válvula. Los transistores son más pequeños que las lámparas, lo que permite que el equipo electrónico sea de menor tamaño. Además, generan muy poco calor, de modo que pueden colocarse más cerca unos de otros que las lámparas, reduciendo aún más el tamaño del equipo. El equipo electrónico, como por ejemplo las radios de transistores, se hizo portátil porque la menor necesidad de energía del transistor significaba que podían hacerse funcionar con PILAS pequeñas. En la década de 1970 los transistores empezaron a ser reemplazados por CIRCUITOS IN-TEGRADOS que contenían grandes cantidades de componentes electrónicos.

Transformador de paso alto

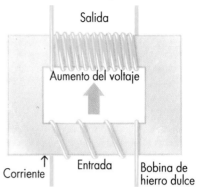

Transformador de paso bajo

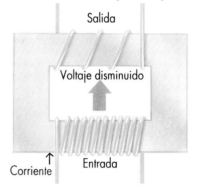

▲ *En estos dos transformadores una corriente fluye a través de la bobina de entrada e induce una corriente de voltaje diferente en la bobina de salida. En el transformador de paso alto hay más vueltas de la bobina de salida que de la de entrada, de modo que el voltaje aumenta. En el transformador de paso bajo, hay más vueltas de la bobina de entrada que de la bobina de salida, de modo que el voltaje disminuye.*

▼ *El transistor tiene un símbolo de circuito especial. Un transistor (derecha) está hecho de una especie de bocadillo de una pieza de sílice especialmente tratada, entre otras dos tratadas de manera distinta. Las tres capas se llaman emisor, base y colector. Una corriente eléctrica débil conectada a la base produce una variación mayor en el flujo de electrones a través del emisor y del colector. El transistor amplifica la corriente.*

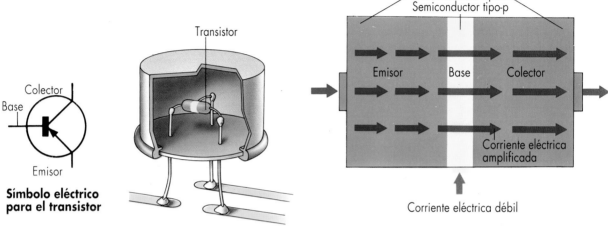

Transistor

Semiconductor tipo-n
Semiconductor tipo-p

Emisor   Base   Colector

Corriente eléctrica amplificada

Corriente eléctrica débil

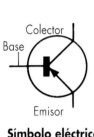

Colector

Base

Emisor

Símbolo eléctrico para el transistor

Hoja   Estomas

El agua se evapora

Tallo

El agua del suelo entra en las raíces

▲ *El agua que exudan las hojas de una planta durante la transpiración, viene originalmente del suelo. Las raíces la absorben y viaja por el tallo hasta las hojas, donde parte de ella se evapora a través de los poros llamados estomas.*

Transversión

La transpiración es la EVAPORACIÓN de agua de las partes de una planta que están por encima del suelo y se produce sobre todo a través de las HOJAS. La evaporación se realiza a través de miles de pequeños poros llamados estomas en la parte inferior de las hojas. Las plantas absorben agua a través de sus RAÍCES; después, el agua sube por el TRONCO y llega a las hojas. Este movimiento se llama corriente de transpiración. Aunque la evaporación de las hojas extraerá más agua de las nervaduras de la

COMPRUÉBALO TÚ MISMO
Puedes comprobar la transpiración de una planta poniendo una bolsa de plástico cerrada por encima de una maceta. Al cabo de un rato, aparecerán gotas de agua en la parte de dentro de la bolsa. No olvides regar la planta cuando hayas terminado tu experimento.

hoja, agregándola a la corriente de transpiración, este sólo movimiento no da cuenta del efecto. La planta necesita el agua para la FOTOSÍNTESIS.

En tiempo caluroso y seco la transpiración es más rápida que la velocidad a la que la planta puede extraer agua del suelo. Entonces, la planta tiene que cerrar sus estomas, porque de otro modo perdería demasiada agua y empezaría a marchitarse.

En los animales y el hombre también se produce la transpiración, que se conoce con el nombre de sudoración.

Trasplantes

Los trasplantes son injertos de tejido vivo de otro organismo que se usan para corregir o reemplazar una parte enferma. El trasplante de córnea fue la primera técnica de trasplante que se usó extensamente en seres humanos. Como la córnea del OJO no tiene suministro de SANGRE, el SISTEMA INMUNOLÓGICO del cuerpo no puede reconocer y atacar el tejido extraño o injertado. Los trasplantes de córnea se usan para devolver la vista cuando la superficie del ojo ha sufrido una quemadura o herida. También es posible realizar trasplantes exitosos en otras partes del cuerpo como los riñones, los pulmones, el corazón y el hígado. El problema es que a veces el cuerpo ataca o rechaza el órgano del donante. Es posible adecuar los tejidos de modo que haya menos probabilidad de rechazo, pero para evitarlo es necesario administrar poderosas DROGAS como los ESTEROIDES. En los últimos años, desde la introducción de un nuevo medicamento llamado ciclosporina, los trasplantes han sido más exitosos, y ahora se pueden trasplantar muchos de los órganos importantes del cuerpo.

También se pueden trasplantar o injertar partes de plantas. A menudo se injerta un tallo muy fértil en un rizoma vigoroso para aumentar la producción de fruta de una planta.

> El tratamiento médico de la forma de cáncer llamada leucemia implica la radiación. Esto no sólo mata el cáncer, sino que también destruye la médula del paciente, esa parte del cuerpo en la cual se fabrican los glóbulos rojos. Esto puede corregirse transplantando de médula al paciente, usando médula de un donante sano.

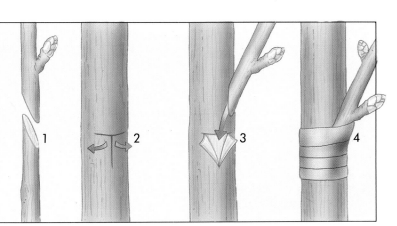

COMPRUÉBALO TÚ MISMO
Para hacer un trasplante en una planta coge primero un trozo de un brote fuerte. Córtalo al bies justo debajo de la yema de una hoja **1**. Después, en otra planta del mismo tipo llamada pie, haz un corte en forma de T **2** y pélala. Inserta el brote (el injerto), **3** y fíjalo con cinta adhesiva **4**. Al cabo de unas semanas quedará unido al pie y seguirá creciendo.

Tratamiento de residuos

El tratamiento de residuos se relaciona con los métodos que utiliza la gente para librarse de materiales, a menudo llamados desechos, que ya no necesitan. Los seres humanos se han convertido en un problema para el MEDIO AMBIENTE, a causa del rápido crecimiento de su población. Por ejemplo, el residuo humano o basura necesita tratamiento para hacerlo inofensivo. A veces las aguas residuales se echan al mar. Esto puede llevar a una carga excesiva de los procesos naturales de descomposición, que puede difundir enfermedades u originar el crecimiento rápido de algas potencialmente dañinas.

La gente produce enormes cantidades de desechos. Ahora es posible reciclar los envases como botellas y latas, que antes llenaban los cubos de basura. Gran parte de nuestros residuos se entierran y después se utilizan estos sitios para la construcción. Otros residuos se queman en incineradores, por lo general en las grandes ciudades. Los productos secundarios de muchas industrias pueden ser muy venenosos y en los últimos años se han introducido controles estrictos para impedir que las empresas liberen residuos no tratados en ríos, mares o en la atmósfera. El RESIDUO NUCLEAR de las centrales nucleares plantea problemas aparte.

Tronco

El tronco o tallo es esa parte de una planta que soporta las HOJAS y las dispone de manera tal que reciban la máxima cantidad posible de luz. También soporta las FLORES y las coloca de modo que tengan la mejor oportunidad para su POLINIZACIÓN. A menudo tiene ramas y puede ser herbáceo (blando) o leñoso. Los mayores troncos que se conocen son los de las secoyas californianas, algunos de los cuales tienen más de 100 m de altu-

▼ El tallo sostiene una planta y transporta sustancias desde y hacia las hojas y raíces. Su estructura interna está diseñada para realizar estas funciones. Las fibras recias proporcionan soporte y varios tubos o vasos microscópicos transportan los fluidos por el tronco. Este llamado sistema vascular está hecho de xilema y floema, que se convierten en la parte de madera (cambium) en tallos y troncos de árboles.

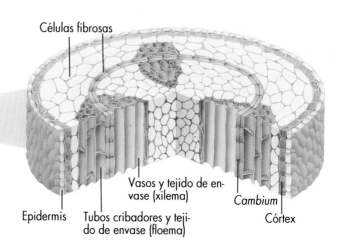

Células fibrosas

Vasos y tejido de envase (xilema)

Cambium

Córtex

Epidermis

Tubos cribadores y tejido de envase (floema)

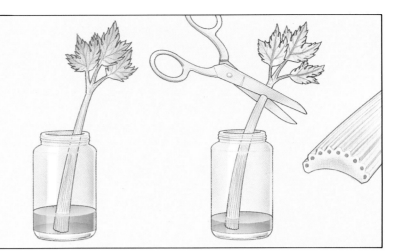

COMPRUÉBALO TÚ MISMO
Puedes demostrar cómo los troncos y tallos de una planta transportan líquido por ella. Coge un tallo de apio con hojas y colócalo en una jarra que contenga agua a la cual se ha agregado algún colorante alimentario rojo. Al cabo de una o dos horas, el color habrá ascendido por el tallo. Si lo dejas el tiempo suficiente, las hojas se volverán rosadas. Corta luego el tallo y verás el colorante rojo en los vasos que transportan líquido.

ra. El agua asciende por el tronco mediante miles de tubos estrechos, pero de paredes recias. Los materiales nutrientes bajan a las RAÍCES mediante otra serie de tubos. Estos tubos están dispuestos en manojos dispersos en el tronco joven, pero a medida que éste envejece suelen unirse para formar un anillo. Los troncos de madera consisten casi por completo en tubos y fibras fuertes, y todos los años agregan un anillo adicional en la parte exterior. Algunos troncos, entre los cuales se cuentan los de la mayor parte de los cactos, se especializan en el almacenamiento de agua y otros, como la patata, se usan para almacenar comida. La mayor parte de los tallos crecen verticalmente, pero algunos lo hacen horizontalmente por arriba o por debajo de la tierra.

Ver DENDROCRONOLOGÍA, TRANSPIRACIÓN, MADERA

Por lo general, los troncos de plantas son fuertes y fibrosos, porque tienen que soportar la planta. No obstante, los brotes jóvenes y tiernos del jengibre se usan como comida. Entre los tallos subterráneos están los rizomas y tubérculos como las patatas y los ñames, que suministran alimento feculento.

Trópicos

Los trópicos son las dos líneas paralelas de LATITUD a una distancia angular de 23,5° del Ecuador. La palabra trópico describe también la amplia zona que circunvala la Tierra entre los trópicos de Cáncer (norte) y Capricornio (sur). El trópico de Cáncer marca el límite norte más lejano del Ecuador en el cual el Sol puede aparecer directamente vertical. El Trópico de Capricornio es el límite al sur del Ecuador en el cual el Sol llega a estar vertical. La mayor parte de los trópicos tienen temperaturas de cálidas a calurosas, porque de una estación a otra apenas difiere la cantidad de luz del día. En los trópicos el Sol siempre sale y se pone alrededor de las 6, y no hay un crepúsculo largo antes del alba o después del crepúsculo. Los trópicos originan dos importantes masas de aire que se mueven hacia los polos y afectan el CLIMA de las zonas que recorren.

En los trópicos hace calor todo el año, y allí se producen algunas de las lluvias más importantes del mundo. Pero incluso allí las cumbres de las altas montañas son muy frías: la temperatura baja en unos 6°C por cada 1.000 m de altitud. La cumbre del Kilimanjaro, en Tanzania, está todo el año nevada.

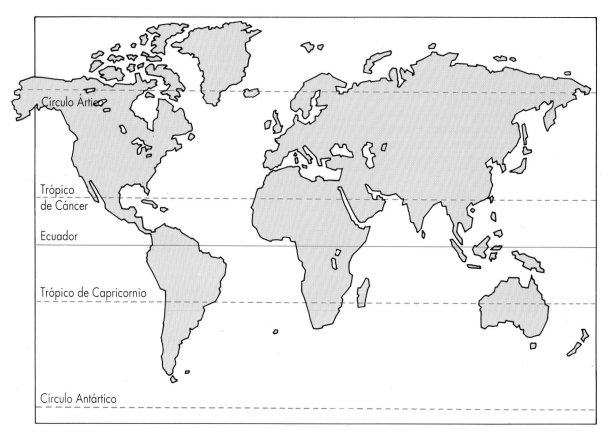

Círculo Ártico

Trópico
de Cáncer

Ecuador

Trópico de Capricornio

Círculo Antártico

▲ *La región conocida como trópico está a caballo del ecuador, entre los trópicos de Cáncer y Capricornio. Los trópicos incluyen todas las selvas tropicales del mundo, así como también algunos de los desiertos calurosos.*

Tropopausa 6–10 millas

Troposfera

▲ *La troposfera es la parte de la atmósfera situada por encima de la superficie de la Tierra.*

Troposfera

La troposfera es la capa de la ATMÓSFERA que se extiende desde la superficie de la TIERRA hasta una altura de alrededor de 10 km en los polos Norte y Sur y unos 16 km en el ecuador. Es la capa en la cual vivimos. En la troposfera la temperatura disminuye gradualmente con el aumento de la altura a un ritmo de unos 6,5°C cada kilómetro. El límite entre la troposfera y la ESTRATOSFERA se llama tropopausa, y su altura real varía considerablemente.

En la troposfera se encuentra casi todo el VAPOR de agua que hay en la atmósfera, de modo que es aquí donde se forman las NUBES. Aquí se producen también la mayor parte de las perturbaciones que llamamos TIEMPO ATMOSFÉRICO, a causa de los movimientos de masas de aire a través de la CONVECCIÓN. La troposfera contiene la mayor parte del oxígeno, otros gases y partículas sólidas o líquidas, como el humo o la niebla.

Trueno

Se llaman truenos los sonidos en ocasiones retumbantes o restallantes que siguen al relámpago durante una tormenta. Las llamadas "tormentas de truenos" deberían denominarse "tormentas de relámpagos", porque la descarga eléctrica llega primero y da origen al RUIDO.

El trueno se produce porque el relámpago calienta rápidamente el aire y se expande a velocidades mayores que la del sonido. Verás primero el relámpago y oirás después el trueno porque la LUZ viaja mucho más rápido que las ondas de SONIDO. El sonido viaja a unos 1.220 km/h o sea a menos de 0,33 km/s. La luz viaja tan rápido que puedes ver el relámpago en el momento en que se produce. Si ves un relámpago pero no oyes ningún trueno hasta cinco segundos después, sabrás que la tormenta está a más de 1 km de distancia.

Tsunami y olas de marea

Las olas de marea son las grandes surgentes de agua en forma de onda que se mueven regularmente alrededor de la TIERRA y dan origen a las MAREAS. Las olas extremadamente altas, provocadas cuando el lecho del mar es perturbado por un TERREMOTO importante o por la actividad volcánica se denominan tsunamis.

En agosto de 1883, la isla volcánica de Krakatoa, en el sureste de Asia entre Java y Sumatra, voló en pedazos en una de las EXPLOSIONES naturales más violentas de la historia. Se cree que la explosión fue por lo menos tan potente como la detonación de más de 100 bombas nucleares de 50 megatones. La erupción provocó tsunamis de más de 36 m de altura en las costas de Java y Sumatra, y por lo menos 36.000 personas se ahogaron.

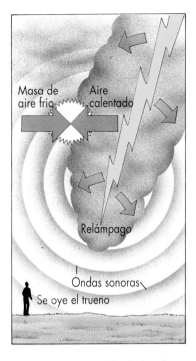

▲ Para un observador la luz de un relámpago viaja a 300.000 km/s pero el sonido del trueno lo hace a sólo 330 m/s, que es la razón por la cual oímos el trueno tiempo después de haber visto el relámpago.

▼ Las explosiones volcánicas submarinas suelen causar una serie de olas poderosas. Al igual que las olas comunes, cuando los tsunamis llegan a aguas más superficiales reaccionan con el lecho del mar y se hacen más altas, lentas, juntas y turbulentas.

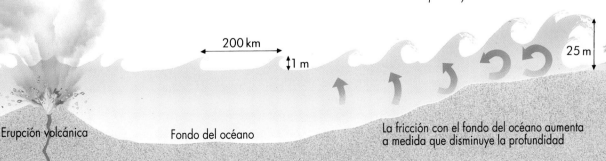

200 km

1 m

25 m

Erupción volcánica   Fondo del océano   La fricción con el fondo del océano aumenta a medida que disminuye la profundidad

Tubo de rayos catódicos

Un tubo de rayos catódicos es un tubo, habitualmente hecho de vidrio, del cual se ha extraído la mayor parte del aire, y dentro del cual se produce un rayo de ELECTRONES. El rayo proviene de un cañón de electrones hecho con una pieza de METAL calentado y mantenido en un voltaje negativo. Esto rechaza los

▼ *Cada rayo de electrones en un tubo de rayos catódicos corresponde a un color: rojo, verde o azul. Los rayos son controlados por un microordenador y guiados a los puntos correctos de la pantalla. La parte interior de la pantalla* está recubierta con puntos de fósforo. Cuando un electrón golpea la pantalla, el fósforo resplandece. Las combinaciones de estos puntos de color forman la imagen.

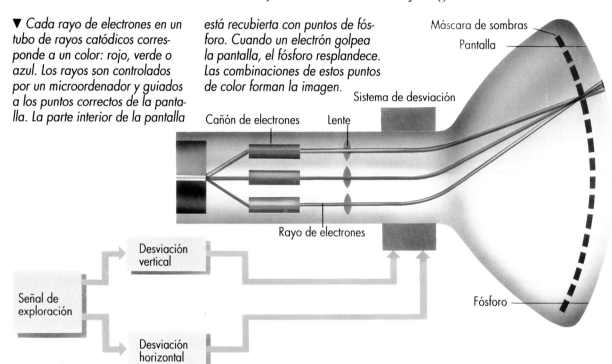

electrones que se emiten desde la superficie y los acelera. La pieza de metal caliente es conocida como el cátodo, como el electrodo negativo en la ELECTRÓLISIS. El tubo emite un resplandor porque los electrones chocan con las moléculas de aire que permanecen en el tubo, produciendo ENERGÍA lumínica. Ahora pueden producirse rayos de electrones muy estrechos. Si el extremo más alejado del tubo está cubierto con pintura luminosa, el rayo produce una pequeña mancha de luz. Se pueden usar voltajes y ELECTROIMANES para desviar el rayo, de modo que la mancha trace una imagen. Después de que ha pasado la mancha, la pintura sigue resplandeciendo durante un corto tiempo, de modo que nuestros ojos no ven el movimiento. Es así como producen imágenes un TELEVISOR o un OSCILOSCOPIO. Se pueden hacer imágenes coloreadas utilizando pinturas luminosas que resplandecen con diferentes colores. William Crookes fue el primero en hacer un tubo de rayos catódicos.

Ver COLOR, LUMINISCENCIA

Túnel

Un túnel es un paso practicado debajo de la superficie de la Tierra. Los túneles permiten que carreteras, canales y líneas ferroviarias pasen a través de montañas y debajo de carreteras. Los túneles llamados cloacas alejan de las viviendas los materiales de desecho.

Desde los tiempos prehistóricos la gente ha cavado en el terreno en busca de MINERALES. Los romanos construyeron tú-

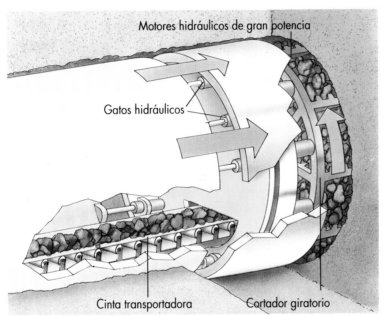

Motores hidráulicos de gran potencia

Gatos hidráulicos

Cinta transportadora   Cortador giratorio

En el 36 a.C., los romanos construyeron el primer túnel conocido cerca de Nápoles con casi 1 km de largo. El más largo del mundo es el de suministro de agua West Delaware, en Nueva York. Tiene 170 km de largo.

◄ Hoy se usan máquinas excavadoras automáticas o topos. Tienen grandes cabezas cortantes que giran empujadas por gatos hidráulicos para obligar al topo a seguir adelante. Una cinta transportadora en el interior de la máquina aparta la roca y la tierra a medida que se va extrayendo. Los topos pueden funcionar mediante electricidad y motores hidráulicos.

neles para llevar agua a sus ciudades. Durante la REVOLUCIÓN INDUSTRIAL se abrieron túneles para hacer canales. Para hacer túneles a través de ROCA se solían taladrar agujeros en ella y llenarse de EXPLOSIVOS. La explosión rompía la roca. Cuando se sacaban los restos se volvía a taladrar y hacer estallar la roca siguiente. Ahora, los túneles se hacen con unas máquinas llamadas topos, que cavan continuamente. Unos poderosos arietes apoyan contra la superficie de la roca un disco cortante que hay en la parte frontal del topo.

Turbina

Una turbina es un artefacto utilizado para convertir el movimiento de un FLUIDO en ENERGÍA mecánica. Consiste en una cantidad de palas fijadas a un núcleo central. La FUERZA del fluido que empuja contra las palas provoca su movimiento. Cuando la turbina gira también gira el eje, y esto puede usarse para hacer funcionar otras máquinas. El ejemplo más simple de

LOS MAYORES TÚNELES PARA VEHÍCULOS:
Túnel ferroviario de Seikan entre Fukushima y Honshu, en Japón, 53 km.
Túnel del Canal entre Gran Bretaña y Francia, 48 km.
Túnel del metro de Moscú entre Belyaevo y Medvedkovo, 30 km.
Túnel automovilístico del San Gotardo en los Alpes, Suiza, 16 km.

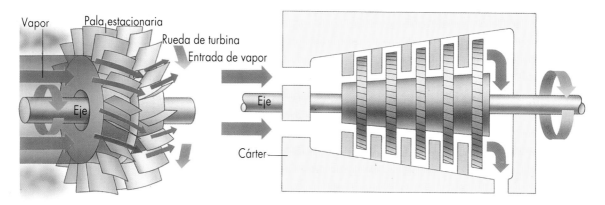

▲ La eficacia de una turbina aumenta si se dirige el gas o el vapor con palas estacionarias, antes de que pase entre las palas de la turbina para hacerlas girar. Las turbinas de vapor tienen varias series de palas (vistas en sección, a la derecha), que son más grandes allí donde el vapor se enfría y pierde parte de su presión.

COMPRUÉBALO TÚ MISMO
Puedes construir tu propia turbina de gas. El rotor se hace colocando en ángulo palas hechas de cartón o plástico, pegándolas a una aguja de tejer. Coloca la aguja en una bobina de hilo sobre un plato y enciende unas velas pequeñas. El aire caliente ascenderá y hará girar la turbina.

turbina es el molino de agua. La rueda puede estar sumergida en una corriente de agua, o bien se puede desviar el agua para que pase por encima de la rueda.

Hace casi 2.000 años, Herón de Alejandría hizo una demostración de la turbina de vapor, pero hasta 1884 Charles Parsons no construyó la primera turbina de vapor práctica. Ésta reemplazó rápidamente al MOTOR DE VAPOR en los GENERADORES de energía eléctrica. A su vez, fue reemplazada después por la TURBINA DE GAS, que también se usa para dar energía a algunos barcos y aviones.

Turbina de gas

Una turbina de gas es un tipo de MOTOR DE COMBUSTIÓN INTERNA usado por muchos aviones, barcos y algunos carros de combate. Fue inventada en la década de 1940, durante la segunda guerra mundial (1939-1945) por el ingeniero británico Frank Whittle. Trabaja quemando combustible en aire comprimido como un motor de pistón, pero no tiene pistones. Por encima de cierto límite de velocidad máxima, los motores de pistón corren el riesgo de desmembrarse. En una turbina de gas, se usan los gases de COMBUSTIÓN en expansión para hacer funcionar una TURBINA. Esto puede dar energía al compresor, que absorbe aire al interior del motor y lo comprime, antes de salir del motor en forma de chorro de gas caliente. Esto da al motor su nombre popular de turbo jet o motor a chorro. En el motor de turbohélice, la turbina da energía a un propulsor. En un motor de turboeje, la turbina hace mover un eje que puede dar energía a la oruga de un carro de combate o a los rotores de un helicóptero.
Ver PROPULSIÓN A CHORRO

UHF (Frecuencia Ultra Alta)

Frecuencia ultra alta *(Ultra High Frequency, UHF)* es el nombre dado a la RADIACIÓN ELECTROMAGNÉTICA con una FRECUENCIA incluso superior a las ondas de radio VHF (frecuencia muy alta). Una onda de UHF tiene una frecuencia de entre 300 y 3000 MHz (un MHz es un millón de ciclos por segundo). Debido a su frecuencia, una onda de radio UHF puede transportar mucha más información en cada segundo que una radioonda normal o una señal de VHF. Las radioondas de UHF se usan, por ejemplo, para emitir señales de TELEVISIÓN. Estas abarcan una gran cantidad de información porque hay que dar uno de los tres colores a cada punto en la pantalla cada vez que el TUBO DE RAYOS CATÓDICOS del televisor pasa por él. Cada segundo se repasan 25 o 30 veces cientos de miles de puntos, lo que significa que cada segundo se han de transportar decenas de millones de unidades de información.

Se emplean las señales de UHF para comunicarse con los SATÉLITES artificiales y otras naves espaciales. También en este caso porque permiten transferir gran cantidad de información y porque pueden atravesar fácilmente la IONOSFERA, la capa superior de la atmósfera que refleja las radioondas normales.

Ondas de radio y televisión

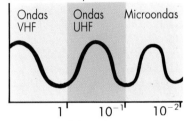

Longitud de onda en metros

▲ *Las ondas de frecuencia ultra alta tienen frecuencias mayores que las de frecuencia muy alta, pero menores que las microondas.*

Ultrasonido

El ultrasonido es un SONIDO que no se puede oír porque su FRECUENCIA es superior a la máxima que puede detectar el *oído* humano. Un sonido con una frecuencia mayor de 20 kHz (un kHz es mil ciclos por segundo) puede definirse como ultrasonido. El ultrasonido tiene varias aplicaciones. Si las vibraciones sonoras son lo bastante fuertes, pueden agitar los objetos para limpiarlos. Si se pone un objeto sucio en agua y se conectan los ultrasonidos, las vibraciones separan la suciedad, que se cae del objeto. También se pueden usar las vibraciones para destruir unas formaciones dolorosas en los riñones llamadas cálculos o piedras renales.

Se pueden emplear los ultrasonidos para revelar detalles que normalmente no se pueden ver. Los barcos y submarinos tienen sistemas de SONAR que emplean los ultrasonidos para "ver" debajo del agua. Los scanners usados en los hospitales para comprobar el desarrollo de los fetos también usan ultrasonidos. Un scanner transmite ultrasonidos al cuerpo de la madre y recibe los reflejos de su interior. Los reflejos se presentan como imagen, llamada ecografía, en una pantalla. Se emplean los ultrasonidos porque son más seguros para el feto en desarrollo que los rayos X.

> Una onda ultrasónica que pasa por un líquido o un sólido les imprime una vibración muy elevada. Estas vibraciones se pueden utilizar para mezclar pintura, limpiar herramientas, y homogenizar leche al romper las partículas de grasa. En ortodoncia, un torno controlado con vibraciones ultrasónicas atraviesa el esmalte dental con muy poca fricción o calor.

Edwin Hubble (1889-1953)
Hubble fue un astrónomo estadounidense cuyo trabajo demostró la teoría de que el universo está en expansión. En la década de 1920 estudió cientos de galaxias lejanas y, midiendo el corrimiento al rojo de sus espectros, demostró que se separan mutuamente a gran velocidad. También clasificó las galaxias en varios tipos.

▲ Estas manos sostienen un pedazo de uranio-235, el isótopo usado como combustible en los reactores nucleares. El uranio es uno de los metales más densos; este pedacito pesa 4,5 kg y vale más de treinta millones de pesetas. Antes de sostener el uranio, las manos se han de proteger con guantes especiales.

Universo

El universo es la totalidad del espacio y todo lo que hay en él. Los astrónomos creen que se formó a partir del BIG BANG, que probablemente ocurrió hace 15.000 millones de años. Desde entonces ha estado en expansión y los cúmulos de galaxias que hay en él (incluido el grupo que contiene la VÍA LÁCTEA, en la que está nuestro SISTEMA SOLAR) todavía se separan. Aunque el universo se hace mayor, eso no significa que tenga un "borde" como el de un globo que se hincha. Esto es porque la fuerza de la GRAVEDAD en el espacio entre los grupos de galaxias hace que todo lo que viaja entre ellos siga un rumbo curvo, aunque parezca ir recto. Intentar encontrar el borde del universo es como intentar encontrar el "final" de un círculo.

El universo visible contiene millones de galaxias, reunidas en grupos y supergrupos. Estos grupos están dispuestos en acumulaciones, en lugar de estar distribuidos más o menos regularmente por el espacio. Explicar esta "acumulación" es una tarea importante de la COSMOLOGÍA.

Los astrónomos han detectado galaxias y QUASARS remotos a muchos miles de millones de años luz de distancia. Incluso esos objetos tan lejanos están formados por los mismos ÁTOMOS que los más cercanos y obedecen a las leyes físicas. Ahora nos es familiar la idea de que el universo es similar en toda partes, o "homogéneo", pero sólo hace cosa de cien años que se demostró que la ley de la gravedad también actuaba más allá del sistema Solar.

Uranio

El uranio es un METAL blanco. Es un ELEMENTO que existe en diversas variedades o ISÓTOPOS, todas las cuales son RADIACTIVAS. Uno de los isótopos, el uranio-235, puede ser sometido a fisión nuclear para producir grandes cantidades de ENERGÍA. Se emplea en armas atómicas y como combustible en la mayoría de los REACTORES NUCLEARES. El uranio-238 es el combustible de otro tipo de central, el reactor reproductor, que lo convierte en PLUTONIO. El uranio se presenta en minerales tales como la URANINITA, pero es difícil de extraer e incluso más difícil de separar en sus isótopos. La minería y extracción del uranio y su uso como combustible nuclear genera grandes cantidades de desechos radiactivos, de los que resulta difícil deshacerse con seguridad porque se han de aislar y almacenar en recipientes especiales.

Ver DESECHOS NUCLEARES, FÍSICA NUCLEAR

UNIDADES SI

Las unidades SI son las unidades de medida usadas en todo el mundo para el trabajo científico. Se adoptaron en una conferencia internacional en 1960 para poner fin a la confusión provocada por el hecho de que la gente usara unidades diferentes. Hay siete unidades SI básicas y muchas otras unidades derivadas para medir cosas diversas.

Las unidades básicas son el metro, el kilogramo, el segundo, el amperio, el kelvin, la candela y el mol. Hay una definición estándar para cada una de esas unidades. Las unidades se definían en términos de un ejemplo particular, o prototipo; por ejemplo, el metro era la longitud de una barra estándar conservada en París. Ahora se definen las unidades básicas en términos de medida de fenómenos físicos; por ejemplo, el metro se define como la distancia que puede recorrer la luz en el vacío en una fracción muy pequeña de segundo. El segundo se define como el tiempo que necesitan cierto número de ciclos de luz de cierta frecuencia para ser emitidos por un átomo del elemento cesio. El kilogramo es la única unidad que todavía se define con relación a un prototipo. El kelvin se define como que la temperatura a la que pueden existir a la vez hielo, agua y vapor de agua (es decir, 0°C) está a 273,16 K sobre el cero absoluto.

Nombre y símbolo de la unidad	Cantidad física
Metro (m)	Longitud
Kilogramo (kg)	Masa
Segundo (s)	Tiempo
Amperio (A)	Intensidad de corriente eléctrica
Kelvin (K)	Temperatura termodinámica
Candela (cd)	Intensidad lumínica
Mol (mol)	Cantidad de materia

▲ Las unidades básicas del sistema SI miden las siete cantidades fundamentales usadas en el mundo en la ciencia y la tecnología.

▲ El kilogramo estándar original, usado en el sistema de unidades MKS (metro-kilogramo-segundo), era una pesa de latón. El prototipo moderno del kilogramo es un cilindro de aleación de iridio y platino.

Unidad (símbolo)	Qué mide	En otras unidades
Newton (N)	Fuerza	kgm/s^2
Julio (J)	Trabajo, energía, calor	Nm
Vatio (W)	Potencia	J/s
Culombio (C)	Carga eléctrica	As
Hertz (Hz)	Frecuencia	1/s
Pascal (Pa)	Presión y tensión	N/m^2
Voltio (V)	Voltaje (también conocido como diferencia de potencial)	J/C
Ohmio (Ω)	Resistencia eléctrica	V/A

◄ El sistema SI tiene varias unidades derivadas, usadas para medir la fuerza, la energía, etc. Pueden expresarse en términos de unidades básicas.

Ver AMPERIO, FRECUENCIA, KELVIN, MASA, MEDIDA, PESOS Y MEDIDAS, SISTEMA MÉTRICO, TEMPERATURA, TIEMPO, VACÍO

Hechos sobre Urano

Diámetro en el Ecuador
51.000 km
Diámetro en los polos
50.200 km
Distancia del Sol
3.007.000.000 km (máximo)
2.737.000.000 km (mínimo)
Longitud del año 84 años
Longitud del día 17 h 18 min
Masa 14,6 veces la Tierra
Densidad 0,22 de la Tierra
Temperatura superficial
200°C

▶ *Urano tiene un tenue sistema de anillos y 15 lunas, 5 grandes y 10 pequeñas. Su diámetro es cuatro veces el de la Tierra.*

Sir William Herschel (1738-1822)

Herschel fue un astrónomo británico nacido en Alemania que en 1781 descubrió el planeta Urano mediante el telescopio construido por él. Llegó a Inglaterra como músico a la edad de 19 años y se dedicó a la astronomía cuando tenía 36. Aparte de descubrir Urano, identificó cerca de 2000 nebulosas y catalogó 800 estrellas dobles. Se convirtió en astrónomo del rey Jorge III.

Urano

Urano se convirtió en el primer planeta descubierto mediante un TELESCOPIO cuando William Herschel, observando desde Bath, Inglaterra, lo encontró en 1781. Debido a que está muy lejos, poco se sabía de él antes de que el Voyager 2 enviara observaciones de cerca en 1986, aunque en 1977 se descubriera

Tierra

Urano

un anillo tenue. La sonda espacial fotografió 13 anillos principales y otros muy estrechos y tenues.

Durante muchos años se han conocido cinco satélites, el mayor de los cuales es Titania (1600 km de diámetro) y el menor Miranda, de 480 km. Todos ellos son cuerpos carentes de aire, cubiertos de hielo con cráteres donde chocaron con ellos fragmentos volantes. Otro de ellos, Ariel, tiene valles inmensos, mientras que Miranda es un conjunto de señales totalmente diversas. Una suposición es que un satélite antiguo se desmoronó en una colisión y los fragmentos se juntaron, de modo que Miranda está, en parte, vuelto hacia afuera. El Voyager 10 encontró 10 satélites nuevos, muchos de menos de 50 km de diámetro.

El propio Urano está rodeado por una densa ATMÓSFERA de hidrógeno, helio y metano. Pero, a diferencia de otros planetas exteriores "nebulosos", apenas tiene señales de nubes. Lo más curioso de Urano es el giro de su eje, tan inclinado que durante su "año" el Sol puede insolar casi verticalmente ambos polos, y partes de su superficie están bañados en el día continuo, y luego en una noche continua, durante casi 40 años terrestres.

Vacío

La mayoría de los lugares de la tierra que habitualmente consideramos vacíos están llenos de MOLÉCULAS de AIRE. Un vacío, por otra parte, es un espacio realmente vacuo; un vacío perfecto no contiene moléculas de ninguna clase. El espacio interestelar, el espacio abierto entre las ESTRELLAS, es un vacío casi perfecto. Es difícil hacer el vacío. Hay que bombear fuera todo el aire del interior de un recipiente. No obstante, las moléculas de aire se pueden filtrar a través de agujeros muy pequeños en el recipiente y las moléculas en la superficie del recipiente se evaporan en el espacio vacío. Así que el recipiente ha de ser lo suficientemente fuerte como para resistir la PRESIÓN hacia dentro del aire exterior. Algo que es casi un vacío se llama *vacío parcial*. El vacío es útil como AISLANTE térmico porque evita que el calor fluya por CONVECCIÓN. Los alimentos tales como el café, que suelen perder su sabor cuando se exponen al aire, se empaquetan "al vacío".

Ver ESFERAS DE MAGDEBURGO, EVAPORACIÓN

▶ *Una aspiradora tiene un motor eléctrico que aspira aire del fondo de la bolsa de polvo. Eso deja un vacío parcial que hace que la presión del aire exterior empuje a la bolsa las partículas de polvo.*

Bolsa de polvo

Filtro

Ventilador

Salida de aire

Motor

Cepillo rodante

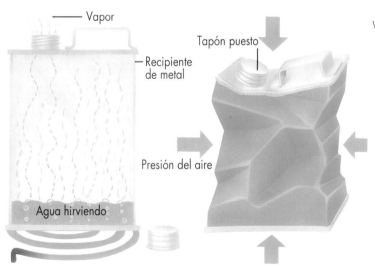

Vapor

Recipiente de metal

Tapón puesto

Presión del aire

Agua hirviendo

◀ *Cualquier recipiente con una presión inferior en el interior que en el exterior ha de ser muy fuerte. Si se hierve un poco de agua en una lata, el agua produce vapor que se expande. Si se quita la lata del calor y se le atornilla la tapa, el vapor se enfriará y condensará, reduciendo la presión dentro de la lata, con lo que se hace un vacío parcial. Después de cierto tiempo, la presión del aire arrugará la lata hacia dentro.*

Vacunación

La vacunación hace que el cuerpo produzca unas sustancias llamadas ANTICUERPOS para combatir la ENFERMEDAD. Las sustancias que no pertenecen por naturaleza al cuerpo se llaman antígenos. Éstos hacen que el SISTEMA INMUNOLÓGICO reaccione produciendo anticuerpos que neutralizan los antígenos. Los

Edward Jenner (1749-1823)
Jenner fue un médico británico que en 1796 realizó las primeras inoculaciones con éxito contra la enfermedad. Inoculaba a la gente con viruela vacuna (una enfermedad del ganado) para protegerla contra la mortal viruela. La técnica se adoptó ampliamente y durante los 100 años siguientes, las muertes por viruela se redujeron drásticamente (de 40 personas de cada 10.000 a 1 por cada 10.000).

antígenos están en las superficies de bacterias y virus. Algunos COMPUESTOS químicos también actúan como antígenos.

En la vacunación, los antígenos que entran en el cuerpo por una inyección o por la boca son inocuos. La vacuna ha sido tratada para debilitar las bacterias o virus y, en algunos casos, bacterias o virus muertos o incluso extractos de las sustancias antígenas harán que se produzcan los anticuerpos protectores. A veces se necesitan más vacunas o recuerdos para aportar una protección continuada contra la enfermedad. Para proteger contra la tuberculosis, se usa una bacteria similar pero menos dañina para provocar una infección que hace que el cuerpo desarrolle la inmunidad a la tuberculosis. A eso se le llama *inoculación* y se usó primero para proteger contra la viruela, cuando se inyectaba a la gente una enfermedad más leve llamada viruela vacuna.

Valencia

La valencia es la capacidad de combinación de un ELEMENTO químico. Nos dice cuántos ENLACES químicos puede formar un elemento cuando se combina con otros. Esos enlaces afectan los ELECTRONES, de modo que la valencia es el número de electrones que un elemento puede ceder, compartir o recibir al formar enlaces. Algunos elementos siempre tienen la misma valencia. Para el hidrógeno siempre es uno, para el oxígeno dos y para el carbono cuatro. Otros elementos tienen más de una valencia. El hierro, por ejemplo, puede combinarse para formar compuestos de dos maneras, por lo que tiene una valencia de dos en algunos de sus compuestos, y en otros su valencia es tres.

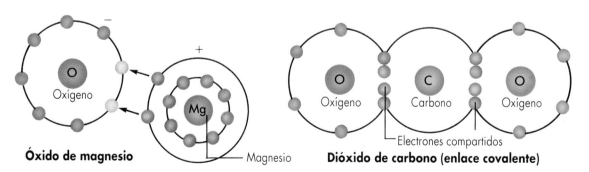

Óxido de magnesio

Dióxido de carbono (enlace covalente)

▲ Tanto el magnesio como el oxígeno tienen una valencia de dos. El dibujo de la izquierda muestra cómo el magnesio puede ceder sus dos electrones exteriores para completar la capa exterior del oxígeno (para que tenga ocho electrones) y formar el compuesto óxido de magnesio. El carbono tiene cuatro electrones exteriores y una valencia de cuatro. El dibujo de la derecha muestra cómo un átomo de carbono puede combinarse con dos átomos de oxígeno para formar dióxido de carbono.

Valoración

La valoración es una técnica usada en el ANÁLISIS químico. Mide los volúmenes exactos de dos SOLUCIONES que reaccionan mutuamente. Si la CONCENTRACIÓN de una de las soluciones es conocida se puede calcular la concentración de la otra. Se pone en un frasco un volumen medido de una solución. La otra solución se pone en un tubo graduado grande llamado bureta. La bureta tiene un grifo en la parte inferior, de manera que se puede añadir la solución lentamente al frasco. El punto final entre las soluciones, es decir, cuando una reacción química se completa, suele encontrarse añadiendo un INDICADOR químico a la solución en el recipiente. Por ejemplo, se puede usar TORNASOL como indicador en una valoración entre un ÁCIDO y un álcali. Se da el punto final justo cuando el tornasol cambia de color de rojo a azul (o de azul a rojo).

▶ *Aparato típico para realizar una valoración, la bureta está sujeta por una pinza y un soporte. La bureta está graduada con precisión y su grifo puede controlar el flujo de líquido hasta la última* gota. *Hay muchos indicadores diferentes, pero el amarillo de metilo se usa a menudo en soluciones alcalinas. Pasa del amarillo al rojo cuando la solución pasa a ser ácida.*

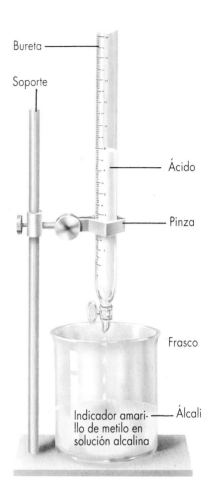

Bureta

Soporte

Ácido

Pinza

Frasco

Indicador amarillo de metilo en solución alcalina

Álcali

Válvulas de vacío

Una válvula o lámpara de vacío es un artefacto que funciona por la acción de ELECTRONES en movimiento a través de un gas o un VACÍO. Dentro del cuerpo de vidrio de la válvula, los electrones fluyen de un electrodo calentado eléctricamente (el cátodo) a través de gas o del vacío a un segundo electrodo (el áno-

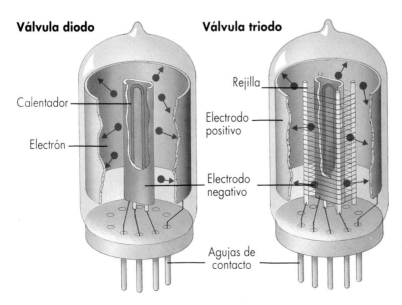

Válvula diodo

Calentador

Electrón

Válvula triodo

Rejilla

Electrodo positivo

Electrodo negativo

Agujas de contacto

◀ *En una válvula de diodo, los electrones fluyen del cátodo calentado (electrodo negativo) al ánodo (electrodo positivo). Un triodo tiene una disposición similar de electrodos, pero además tiene una rejilla de control. Ésta está entre el cátodo y el ánodo y su voltaje se ajusta para controlar el flujo de electrones.*

▲ *Se emplean válvulas o lámparas de vacío especiales para generar ondas de radio. Esta válvula grande era el componente clave de un antiguo transmisor de radio de onda corta.*

▼ *Los cinturones de radiación de Van Allen son parte de la magnetosfera. El viento solar los distorsiona de tal forma que están mucho más cerca de la superficie terrestre en el lado de la Tierra encarado al Sol.*

do). Puede haber otros electrodos entre el cátodo y el ánodo, que controlan el flujo de electrones.

Hay diversos tipos de válvulas. El primero, el diodo, se inventó en 1904. Los electrones sólo viajan a través de él en una dirección, permitiendo convertir una corriente alterna en corriente continua. La válvula triodo, inventada en 1910, se usa para amplificar señales eléctricas. Otros tipos de válvulas incluyen el tetrodo y el pentodo. Actualmente, las válvulas han sido sustituidas en gran medida por el DIODO semiconductor, el TRANSISTOR y el CIRCUITO INTEGRADO.

El inventor estadounidense Thomas Edison construyó la primera lámpara de vacío, pero no se dio cuenta de su importancia. A principios de la década de 1880, Edison aisló un electrodo adicional en una bombilla. Se dio cuenta de que fluía una corriente del filamento de la bombilla a ese electrodo si estaba cargado positivamente. Edison había construido un diodo de lámpara de vacío, pero no supo ver ninguna utilidad en su invento.

Van Allen, cinturones de

Los cinturones de Van Allen son dos "caparazones" de partículas atómicas emitidas por el SOL, atrapadas en el espacio que rodea la TIERRA por el campo magnético de ésta. Compuestos por ELECTRONES y PROTONES, el interior se encuentra a unos 3.000 km de la Tierra, mientras que el exterior está a unos 16.000 km.

Los cinturones son espacios más densos dentro de la magnetosfera terrestre. La magnetosfera es un gran volumen de espacio comprimido en forma de cometa por el VIENTO SOLAR,

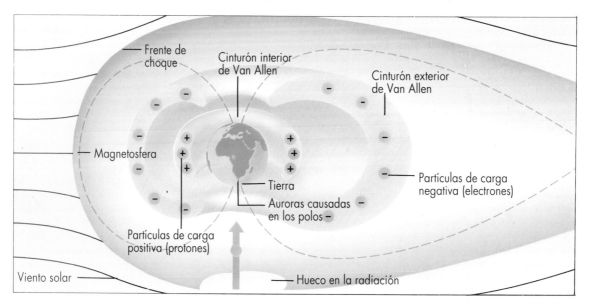

que se extiende unos 100.000 km hacia el Sol y casi 1.500.000 km en dirección contraria.

Estos dos campos magnéticos son como un generador gigante de ELECTRICIDAD. Su ENERGÍA es transportada por medio de partículas hacia la atmósfera terrestre donde genera las AURORAS boreales y australes. Estos dos cinturones los descubrió en 1958 el físico estadounidense James Van Allen.

Los científicos que planearon los primeros vuelos Apolo a la Luna estaban preocupados por los efectos de la radiación de los cinturones de Van Allen sobre los astronautas. Pero se vio que el grosor de la capa exterior de la nave bastaba para proteger a los astronautas.

Van de Graaff, generador

Un generador de Van de Graaff es una máquina utilizada para producir voltajes muy altos. Lo inventó en la década de 1930 el físico estadounidense Robert Jemison Van de Graaff. Consiste en un hemisferio o cúpula hueca de metal apoyada en el extremo de un pilar aislado. Un cinturón hecho de un AISLANTE eléctrico se enrolla alrededor de dos rodillos, uno en la parte superior del pilar, dentro de la cúpula, y otro en el pie y corre alrededor de ellos. Mientras el cinturón pasa a lo largo de un peine metálico cercano al rodillo del pie, adquiere carga positiva. El cinturón transporta la carga al interior de la cúpula, donde se transfiere a ésta y se traslada a su superficie exterior. La carga se incrementa en la cúpula, que puede alcanzar un potencial eléctrico de hasta 13 millones de voltios.

Ver ELECTRICIDAD ESTÁTICA

▶ *Un generador de Van de Graaff usa una cinta transportadora para trasladar carga eléctrica y almacenarla en una cúpula metálica. La carga se recoge de un peine metálico conectado a una alimentación de electricidad de alto voltaje.*

Una carga lo suficientemente alta de partículas desechadas (a millones de voltios) puede saltar desde el anillo metálico, ionizando el aire del entorno y saltando hacia el suelo como un rayo artificial.

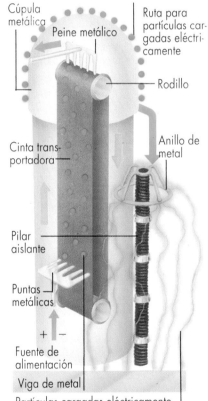

Cúpula metálica

Peine metálico

Ruta para partículas cargadas eléctricamente

Rodillo

Cinta transportadora

Anillo de metal

Pilar aislante

Puntas metálicas

Fuente de alimentación

Viga de metal

Partículas cargadas eléctricamente

Partículas desechadas

◀ *En una demostración científica, una carga de electricidad estática de alto voltaje producida por un generador de Van de Graaff, hace que a esta niña se le pongan los pelos de punta. Cada pelo trata de apartarse de los demás porque las cargas iguales se repelen y los pelos tienen todos la misma carga estática.*

▲ *Nubes de vapor formadas alrededor del hocico de un caballo. En el aire frío, el vapor de agua de la respiración del animal se condensa para formar minúsculas gotitas de agua.*

Vapor

Un vapor es un GAS que puede existir a la misma TEMPERATURA que el LÍQUIDO o SÓLIDO del que procede. A diferencia de un gas por encima de cierta temperatura, un vapor se puede hacer líquido sólo mediante la PRESIÓN, sin enfriarlo.

Después de llover y de salir el Sol, los charcos se secan rápidamente. Esto es porque un líquido como el agua de lluvia se evapora, SUS ÁTOMOS o MOLÉCULAS abandonan su superficie y forman un vapor. Cuando se calienta, un líquido se transforma en vapor más rápidamente que cuando el entorno está frío. Por ejemplo, cuando el agua hierve, se transforma muy rápidamente en vapor. Si un vapor se enfría vuelve a transformarse en líquido. En una habitación húmeda, el vapor de agua se condensa en la ventana para formar agua. A veces, cuando al final del día desciende la temperatura, el vapor de agua del aire se condensa en gotitas de agua que forman la niebla.

Si se comprime un vapor, vuelve a transformarse en líquido. Este ciclo de cambios de estado se emplea en LA REFRIGERACIÓN. Se comprime un vapor para conseguir un líquido y lue-

▼ **1.** *Los charcos se secan al Sol a medida que su agua se transforma en vapor.* **2.** *En lo alto del cielo, el vapor forma nubes de gotitas de agua.* **3.** *Estas gotitas se* combinan para formar gotas de lluvia cuando la nube se enfría. **4.** *Cae la lluvia y el agua forma charcos en el suelo.*

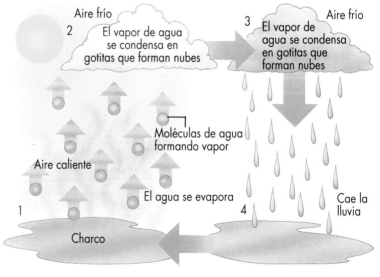

◀ *El vapor de agua es un gas que se forma cuando las moléculas de agua reciben la suficiente energía calórica para liberarse de la superficie del agua líquida. En aire frío,* *el vapor pronto vuelve a condensarse en líquido para formar minúsculas gotitas de agua que se ven como una nube blanca encima de una olla de agua hirviendo.*

go se permite que el líquido vuelva a evaporarse. Esta fase requiere calor, que se extrae del interior del refrigerador, con lo que mantiene frío su contenido.

El vapor de agua puro es invisible; es la zona clara que se puede ver justo encima del pitorro de una olla que hierve fuertemente. La nube que habitualmente llamamos "vapor" sólo se presenta más lejos del pitorro, cuando el vapor se ha mezclado con el aire frío de modo que se han condensado minúsculas gotitas de agua como en una NUBE. Se puede producir fácilmente vapor a alta PRESIÓN calentando agua en un recipiente cerrado. Esto la convierte en la sustancia más fácil de usar para impulsar maquinaria. Probablemente por eso, la MÁQUINA DE VAPOR fue la primera que se inventó.

Vatio ver *Watt*

Vehículo eléctrico

Un vehículo eléctrico es aquel cuya fuerza procede de un motor eléctrico en lugar de un MOTOR de gasolina o GASOLEO. Los vehículos eléctricos tienen una serie de ventajas. Son muy silenciosos, no producen gases dañinos como los motores de gasolina y no necesitan un suministro de COMBUSTIBLE tóxico que se incendia fácilmente. No han alcanzado el éxito comercial principalmente porque son más lentos que los vehículos impulsados con gasolina y no pueden recorrer largas distancias sin cargar sus pesadas baterías. Un vehículo normal puede detenerse en una gasolinera y llenar su depósito en un par de minutos. Pero para recargar las baterías de un vehículo eléctrico pueden necesitarse varias horas. La energía eléctrica ha tenido éxito en unos pocos vehículos tales como las camionetas de reparto y los cochecitos de los campos de golf. Estos vehículos no necesitan viajar a alta velocidad y, finalizado el trabajo, se les puede dejar enchufados a una fuente de energía para que recarguen sus baterías y puedan iniciar el trabajo al día siguiente. Los vehículos eléctricos futuros tendrán baterías más ligeras y eficientes para proporcionarles mayor velocidad y autonomía (distancia recorrida entre cargas de batería).

> Un coche eléctrico puede que no produzca gases contaminantes, pero la energía que recarga sus baterías se produce en una central eléctrica donde se genera en gran medida a partir de combustibles fósiles que producen gases contaminantes. Puede que los vehículos eléctricos reduzcan la contaminación del aire, pero generar la energía para recargar sus baterías, sí provoca contaminación.

> Entre 1896 y 1939 se registraron 565 tipos diferentes de coches eléctricos, pero ninguno de ellos tuvo éxito. Recientemente se ha desarrollado un coche que usa una batería eléctrica en ciudad pero cambia a un motor diesel para distancias mayores.

Velocidad, vector

El vector velocidad es el ritmo con que se modifica la posición de un objeto. Este vector involucra dos tipos de información: el primero es la velocidad a la que se mueve el objeto, el segundo es la dirección en que se mueve. Si cambia uno de estos dos, cambia el vector velocidad de manera que dos objetos viajando a la misma velocidad en direcciones diferentes tienen vectores de velocidad diferentes. Es importante no confundir velocidad y vector velocidad: la velocidad se refiere a lo deprisa que se mueve un objeto, mientras que el vector velocidad se refiere no sólo a lo que tarda el objeto en moverse, sino también a la dirección en que se mueve. El ritmo de cambio del vector velocidad se llama ACELERACIÓN y el ritmo de cambio de posición de un objeto

◄ *La velocidad es el ritmo de cambio de posición: qué distancia recorre algo en un tiempo dado. El vector velocidad es la velocidad en una dirección determinada. Así, un coche que se mueva en cír-* *culo puede tener una velocidad constante, pero su velocidad no deja de cambiar porque el coche apunta todo el tiempo a diferentes direcciones.*

La velocidad del coche es constante, pero el vector velocidad no deja de cambiar.

Distancias de frenado
Cuanto más deprisa viaja un vehículo, tanto mayor es la distancia que necesita para detenerse. Un coche corriente a 50 km/h necesita unos 23 m para detenerse, mientras que un coche a 80 km/h necesita 53 m. Esto es debido al *momento* del vehículo, que relaciona su velocidad con su masa. Un camión necesita más espacio para detenerse que un coche.

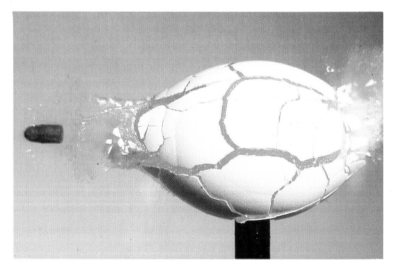

▲ *Una cámara congela la acción de una bala que viaja a una velocidad de 450 m/s (casi una vez y media la velocidad del sonido) y atraviesa un huevo.*

se llama velocidad. El vector velocidad y la aceleración son importantes en MECÁNICA, el estudio de los objetos en movimiento.

El vector velocidad se mide en unidades tales como kilómetros por hora (km/h) o metros por segundo (m/s). La teoría de la relatividad nos dice que la máxima velocidad posible es la de la luz, de aproximadamente 300 millones de metros por segundo. *Ver* FUERZA CENTRÍFUGA, MOVIMIENTO

Velocidad de escape

La velocidad de escape es la que ha de alcanzar un objeto si ha de liberarse de la atracción gravitacional de un PLANETA. Si se lanza una nave espacial desde la TIERRA, la gravedad volverá a arrastrarlo hacia el suelo si no alcanza una velocidad lo suficientemente alta. Si alcanza la *velocidad orbital*, pierde altura al mismo ritmo en que la superficie de la Tierra se curva alejándose de él. Así se mantiene a la misma distancia de la Tierra y la orbita. Si alcanza la velocidad de escape, supera la atracción de la gravedad y sale volando hacia la Luna y los planetas.

Velocidades de escape de los planetas del Sistema Solar.
Mercurio 4,30 km/s
Venus 10,30 km/s
Tierra 11,20 km/s
Marte 5,10 km/s
Júpiter 60,00 km/s
Saturno 35,00 km/s
Urano 22,00 km/s
Neptuno 25,00 km/s
Plutón desconocida

◄ *Para poder escapar de la gravedad terrestre, un cohete ha de tener una velocidad de escape de 11,20 km/s. A unos 1.600 km la atmósfera de la Tierra es tan tenue que no es diferente del espacio.*

A unos 1.600 km el cohete deja la atmósfera y entra en el espacio

Atmósfera terrestre

11,20 km/s

Velocidad terminal

La velocidad terminal de un objeto que cae a través de un LÍQUIDO o GAS es la VELOCIDAD máxima que alcanza. La FRICCIÓN que retiene al objeto mientras se mueve a través del fluido (líquido o gas) se hace mayor a medida que el objeto se mueve más rápidamente. Cuando esta fricción, llamada a veces resistencia, es igual al PESO del objeto, éste ya no ACELERA más y su velocidad se mantiene; ésta es la velocidad terminal del objeto.

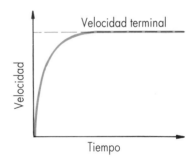

▲ *Un objeto que cae acelera hasta que alcanza su velocidad terminal, después de lo cual cae a velocidad constante.*

Veneno

Cualquier sustancia que daña o destruye el tejido vivo es un veneno. Es difícil de definir porque casi cualquier sustancia es venenosa si se toma la cantidad suficiente. En grandes cantidades, los medicamentos más comunes, incluso la aspirina, son venenosos. Las plantas producen numerosas sustancias peligrosas como protección para no ser comidas, mientras que serpientes y arañas usan su veneno para someter a su presa, así como para defenderse. Hay constancia del uso de sustancias venenosas desde el principio de la historia. Los antiguos chinos, griegos y egipcios los usaban con fines médicos y para cometer asesinatos.

El veneno más mortal producido por un animal procede de la piel de la ranita kokoi, que vive en Colombia. 0,00001 g de esa sustancia bastan para matar a un ser humano. Unos 30 g de veneno podrían matar a unas 300.000 personas.

Hechos sobre Venus
Diámetro 12.104 km
Distancia del Sol
108.000.000 km
Duración del año 225 días
Duración del día 243 días
terrestres
Masa 0,82 de la Tierra
Densidad 0,89 de la Tierra
Temperatura superficial
480°C (máxima)
Atmósfera principalmente
dióxido de carbono

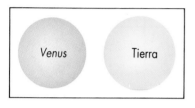

Venus   Tierra

▲ Venus tiene casi el mismo tamaño que la Tierra. Insólitamente, Venus necesita más tiempo para girar sobre su eje (243 días) que para trazar una órbita alrededor del Sol (225 días).

Magallanes

▲ La sonda espacial Magallanes ha enviado a la Tierra las mejores imágenes de Venus. Parece que este planeta es el lugar más incómodo del Sistema Solar.

▶ La ardiente superficie de Venus se oculta bajo las espesas nubes de su atmósfera densa y venenosa.

Venus

Venus es un PLANETA que gira alrededor del SOL entre la TIERRA y MERCURIO y tiene casi exactamente el mismo tamaño que nuestro planeta aunque es muy diferente. La superficie de Venus es el lugar más caliente del SISTEMA SOLAR, con una temperatura que alcanza los 480°C. Se trata de un planeta rocoso azotado por el viento con una "atmósfera" más densa que el agua del océano a una profundidad de varios cientos de metros. Dicha atmósfera contiene dióxido de carbono, ácido sulfúrico y otros componentes venenosos, mientras los rayos saltan entre sus nubes.

La luz solar cae sobre la superficie rocosa que se calienta y emite RADIACIÓN calórica. El dióxido de carbono que rodea Venus permite pasar la suficiente luz solar para calentar la superficie, pero no permite salir el calor radiado por ésta. El calor queda atrapado, liberando más dióxido de carbono de las rocas y haciendo que la manta calórica sea cada vez más eficiente. Este EFECTO INVERNADERO ha convertido Venus en un horno.

La superficie invisible del planeta se ha trazado mediante RADAR desde la Tierra y desde SONDAS ESPACIALES. Se han descubierto montañas de hasta 12 km de alto. Algunos parecen VOLCANES como los de la Tierra. A partir de la medición del dióxido sulfúrico en la atmósfera de Venus, parece que uno o más de los volcanes pueden ser activos, lanzando este gas al entrar en erupción.

(VHF) Very high frequency

Very high frequency (VHF) es el nombre dado a las ondas de RADIO cuya FRECUENCIA es más alta que la de otras ondas de radio, pero no tanto como la de LAS ONDAS (UHF) ULTRAHIGH FREQUENCY. Las ondas VHF tienen frecuencias de alrededor de 100 MHz (cien millones de ciclos por segundo), mientras otras ondas de radio tienen frecuencias de unos pocos cientos de kHz (cientos de miles de hertz o hercios). La frecuencia más alta de VHF significa que la señal puede transportar mucha más información que las ondas de radio normales. La desventaja de las señales de VHF, sin embargo, es que no se difractan muy fácilmente en las colinas y, a diferencia de las ondas de ra-

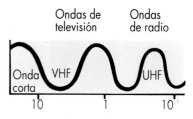

Ondas de televisión   Ondas de radio

Longitud de onda en metros

▲ *Las ondas de radio de VHF, situadas entre la onda corta y las de radar en el espectro electromagnético, se usan principalmente para la emisión de televisión y radio de alta calidad.*

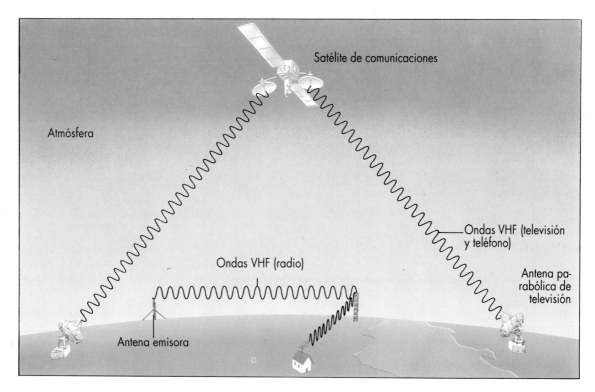

Satélite de comunicaciones

Atmósfera

Ondas VHF (televisión y teléfono)

Ondas VHF (radio)

Antena parabólica de televisión

Antena emisora

dio de frecuencia inferior, no se reflejan en la IONOSFERA. Ello significa que no son muy eficaces para transmitir señales de radio a lo largo de grandes distancias o en zonas montañosas.

La señales de radio de VHF suelen ser diferentes de las otras porque se suele modificar la frecuencia, y no la amplitud, cuando se añade la señal sonora a la onda portadora. A eso se le llama modulación de frecuencia (FM) en lugar de modulación de amplitud (AM).

▲ *Las ondas de radio de VHF sólo pueden usarse para comunicaciones entre lugares situados a la vista el uno del otro. Incluso con un mástil muy alto para la antena emisora, el alcance efectivo es de sólo unos 75 km. Pero los satélites de comunicaciones permiten alcances mucho mayores y las señales de VHF hacia y desde un satélite pueden superar un océano o todo un continente.*

VETERINARIA 🏛

La veterinaria se ocupa de la salud de los animales. Durante siglos, los animales han sido usados para formar a los médicos, pero ahora la medicina veterinaria es una ciencia altamente especializada por derecho propio. Los estudios son similares a los de medicina, pero en algunos aspectos más complicados debido a la gran cantidad de animales diferentes que hay que estudiar. El veterinario ha de ser muy hábil para dar un diagnóstico puesto que los animales, a diferencia de los humanos, no pueden ayudar explicando cómo se sienten.

La veterinaria puede dividirse en dos grupos: aquella que se ocupa de la salud y el tratamiento de animales domésticos tales como gatos y perros, y la que se ocupa del ganado y generalmente se dedica tanto a la prevención como el tratamiento de estos animales. Los veterinarios tratan rutinariamente el ganado para eliminar lombrices y otros parásitos que reducen su crecimiento o la producción de leche. Hay vacunas para inmunizar a los animales domésticos y el ganado contra enfermedades frecuentes.

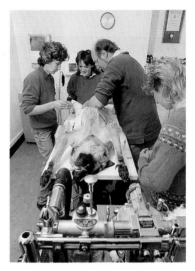

▲ En las ciudades, los veterinarios tratan principalmente animales domésticos. Atienden a animales enfermos o heridos y también los inmunizan contra enfermedades frecuentes y les administran otros cuidados preventivos. En la foto, un perro sometido a cirugía.

◄ En las comunidades agrícolas, los veterinarios tratan a los animales de granja para mantenerlos saludables y prevenir la difusión de enfermedades. Los rebaños de ganado se enfrentan al peligro de las epidemias porque éstas pueden difundirse muy rápidamente. Podrían morir rebaños enteros e infectar a animales pertenecientes a otros ganaderos cercanos. En esta granja, se administra al ganado una inyección para combatir parásitos internos.

Algunas enfermedades animales frecuentes

Las enfermedades animales han de ser tratadas antes de que se puedan contagiar a otros animales. Muchas enfermedades animales pueden transmitirse a los humanos.

Brucelosis una enfermedad infecciosa de bovinos, caprinos y cerdos, que causa fiebre.

Psitacosis una enfermedad vírica de periquitos y otras aves, semejante a la neumonía.

Rabia una enfermedad vírica muy infecciosa que afecta el sistema nervioso y en los perros provoca espumarajos en la boca.

Tuberculosis, enfermedad infecciosa que afecta principalmente a los pulmones. La tuberculosis del ganado puede pasar a los humanos.

Algunos animales exóticos, tales como gorilas, leones y tigres son tratados por veterinarios. Todos estos animales necesitan cuidados dentales en cautiverio. Se usan técnicas especiales para ayudar en la cría de algunas especies en peligro de extinción. Los zoos emplean a veterinarios para mantener sanos a sus animales raros.

Ver AGRICULTURA, BIOLOGÍA, CRÍA, ENFERMEDAD, ESPECIES EN PELIGRO, PÁRASITO, PATOLOGÍA, VACUNAS, ZOOLOGÍA

Vía Láctea

Estamos en el espacio en compañía de unos 100.000 millones de ESTRELLAS y grandes nubes de gas y polvo llamadas NEBULOSAS. Esta es nuestra galaxia, que mide unos 100.000 años luz de diámetro. El SOL está a unos 30.000 años luz de su centro y el efecto de Vía Láctea visto a través del cielo en una noche oscura está causado por la luz tenue de millones de estrellas situadas en los brazos en forma de espiral de la galaxia.

Es probable que nuestra galaxia se iniciara poco después que el UNIVERSO, hace unos !5 000 millones de años. Al principio puede que fuera una nube de hidrógeno. En el centro, donde el gas era más denso, empezaron a formarse estrellas; estas estrellas "de la primera generación" han muerto hace tiempo. Algunas de ellas estallaron en forma de SUPERNOVA, expulsando todos los materiales nuevos tales como carbono y hierro.

Ahora la galaxia tiene largos brazos en espiral. Nuestro Sol y nuestro SISTEMA SOLAR nacieron en uno de los brazos. El Sol

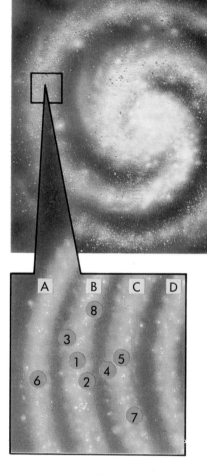

1. Sistema Solar	la Laguna	Águila	B. Brazo de
2. Nebulosa del Anillo	5. Nebulosa Trífida	8. Nebulosa Eta Carinae	Sagitario
3. Nebulosa de Orión	6. Nebulosa del Cangrejo	A. Brazo de	C. Brazo de Orión
4. Nebulosa de	7. Nebulosa del	Centauro	D. Brazo de Perseo

gira alrededor de la galaxia en pocos cientos de millones de años, para pasar de un brazo al siguiente. En los brazos hay material suficiente para muchas generaciones de estrellas.

▲ *Cuatro de los brazos en espiral de la Vía Láctea reciben su nombre de constelaciones importantes.*

Vida media

La vida media de un ELEMENTO radiactivo es el tiempo que necesita la mitad de él para descomponerse o cambiar a un elemento diferente. Se descompone porque es inestable y escapan partículas del núcleo en el centro de cada ÁTOMO. Algunos materiales tienen vidas medias de fracciones de segundo. Otros tienen vidas medias de millones de años. Una clase de radio, por ejemplo, tiene una vida media de 1600 años: se necesitan 1600 años para que se descompongan la mitad de los átomos de una muestra de radio. También se necesitan 1600 años para que se descompongan la mitad de los átomos restantes, etc. Los científicos usan el ritmo en que se descomponen los elementos radiactivos para descubrir la edad de objetos dejados por pueblos antiguos.
Ver BARIO, DATACIÓN POR CARBONO-14, RADIOISÓTOPO

HECHOS SOBRE LA VIA LÁCTEA
Diámetro 100 000 años luz
Grosor en el centro 15 000 años luz
Velocidad de rotación 1 vez cada 225 millones de años
Velocidad en el espacio 2,25 millones de km/h
Edad 15 000 millones de años
Masa estimada Más de 100 000 millones de soles

Todas las cámaras se han de mantener inmóviles para que las imágenes sean claras. Al principio, las cámaras de cine tenían que rodar sobre vías similares a las de los tranvías para quedar fijas. Steadicam es un sistema que permite a un operador de videocámara moverse libremente sin que la imagen se vuelva borrosa ni baile. Tiene un arnés para el operador de la cámara y un sistema de muelles y palancas para absorber cualquier movimiento repentino. Funciona más o menos como la suspensión de un automóvil para absorber los golpes.

▼ *Una videocámara de aficionado moderna graba imágenes y sonidos en una pequeña casete de cinta de video. La cinta puede reproducirse en un televisor normal mediante un reproductor de videocasetes.*

Videocámara

Se usa una videocámara para convertir una imagen real en una señal eléctrica que puede formar una imagen en una pantalla de TELEVISIÓN o grabarse en una CINTA de video.

La luz entra en la cámara a través de una LENTE. Ésta concentra los rayos de luz de manera que formen una imagen nítida en una placa sensible a la luz. Esta placa suele estar cargada hasta unos 30 voltios. Cuando cae la luz sobre ella, el voltaje desciende. Una parte de la placa brillantemente iluminada puede caer hasta 0 voltios. El tubo de grabación produce un rayo de ELECTRONES que recorre la placa. Devuelve cada parte de la placa a su estado de carga plena. Las partes luminosas de la carga precisan de una carga mayor que las partes oscuras. Esta corriente cambiante forma la señal de video de la cámara.

Aunque muchas cámaras usadas en estudios de televisión todavía tienen tubos de grabación, la mayor parte de las videocámaras domésticas usan un sensor a la luz diferente llamado CCD, artefacto acoplado a la carga. Este artefacto SEMICONDUCTOR es mucho menor que un tubo de grabación, es menos frágil que el tubo de vidrio y no resulta dañado si se le expone a luz muy brillante, tal como le puede ocurrir al tubo grabador. *Ver* GRABADOR DE VIDEOCASETES

Videocámara

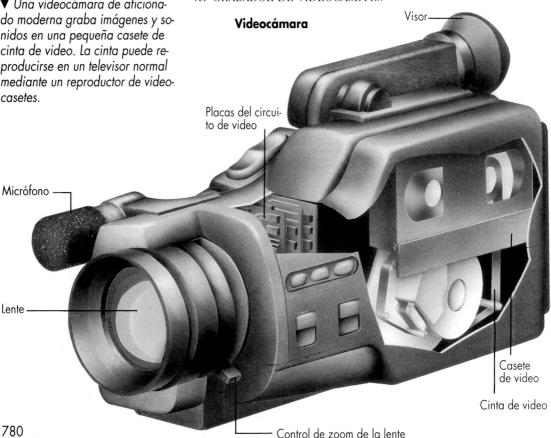

Visor

Placas del circuito de video

Micrófono

Lente

Casete de video

Cinta de video

Control de zoom de la lente

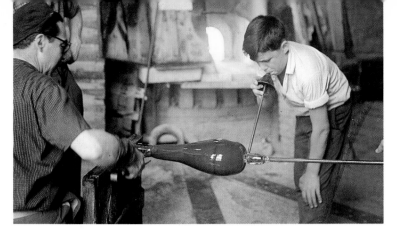

◄ *El soplador de vidrio hunde la barra de soplado en vidrio fundido. Luego sopla suavemente por el tubo mientras le da vueltas. Al girar el tubo evita que el vidrio se caiga de la punta. Cuando sopla, el vidrio se hincha y forma una ampolla que se puede estirar, pinzar y cortar.*

Vidrio

El vidrio es un material transparente empleado para hacer ventanas, recipientes y LENTES. También se usa en la fabricación de ciertos AISLANTES eléctricos porque no conduce la ELECTRICIDAD. Se compone principalmente de sílice, es decir arena. Si se añade óxido de plomo, el vidrio brillante resultante, llamado cristal de plomo se usa para fabricar copas finas. Se puede colorear el vidrio añadiéndole otros óxidos metálicos.

El vidrio se fabrica calentando en un horno las materias primas que se funden y combinan para producir un líquido que posteriormente se enfría para formar vidrio. Mientras está caliente se puede soplar o moldear en formas diferentes. Hasta la década de los sesenta el vidrio para ventanas se hacía de vidrio en placas que se tenía que afinar y pulir. Lo sustituyó el vidrio flotante. El vidrio de seguridad no se astilla al romperse; el vidrio endurecido se produce enfriando rápidamente una plancha de vidrio en un chorro de aire frío; el vidrio laminado se compone de dos planchas de vidrio con una capa de plástico en medio. Se usan fibras de vidrio colocadas en resinas plásticas para hacer estructuras resistentes y ligeras como algunas carrocerías de vehículos.

Ver FIBRA ÓPTICA, SILICIO

▼ *Silicio, arcilla y colorantes son los principales materiales usados para la fabricación del vidrio. Se cargan en un horno donde se funden a 1200-1400°C. El vidrio fundido del horno se moldea y sopla en moldes huecos o se convierte en hojas planas mediante el proceso de vidrio flotante. El vidrio flotante se fabrica dejando que se deposite una capa de vidrio fundido sobre un baño de estaño fundido hasta que esté duro. Entonces se enfría el vidrio y se corta. Esto produce vidrio con una superficie muy lisa.*

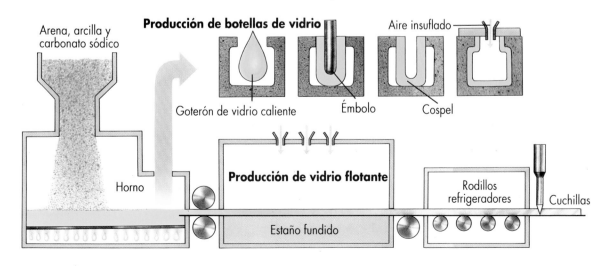

Arena, arcilla y carbonato sódico

Producción de botellas de vidrio

Aire insuflado

Goterón de vidrio caliente — Émbolo — Cospel

Horno

Producción de vidrio flotante

Rodillos refrigeradores — Cuchillas

Estaño fundido

▲ *Los árboles que crecen en lugares con vientos fuertes que soplan habitualmente en la misma dirección crecen torcidos, apartándose del viento. En las costas el viento suele venir del mar.*

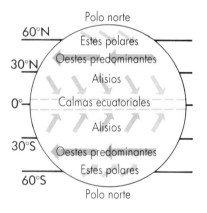

▲ *Las direcciones de los vientos alrededor del mundo suelen seguir un esquema sencillo. La dirección de esos vientos queda afectada por el movimiento de la Tierra al girar sobre su eje. Tienden a soplar en dirección sudoeste en el hemisferio norte y noroeste en el hemisferio sur. Suele haber poco viento en las zonas de calma a ambos lados del ecuador.*

Viento

El viento es el movimiento del AIRE, que depende de las variaciones en la PRESIÓN atmosférica. El aire fluye normalmente de áreas de alta presión atmosférica a áreas de baja presión atmosférica. En otras palabras, si la TIERRA no girara sobre su eje, el viento soplaría normalmente de áreas de altas presiones a las de bajas presiones. Pero como el planeta gira de oeste a este, los vientos se desvían hacia la derecha en el HEMISFERIO norte y a la izquierda en el hemisferio sur. Este es el efecto de Coriolis que, en el norte, significa que la corriente de aire gira en el sentido del reloj alrededor de un área de altas presiones y en sentido contrario al reloj alrededor de un área de bajas presiones y en sentido inverso en el sur.

La velocidad del viento depende de la diferencia entre las presiones del aire. Si miras un mapa meteorológico, los vientos serán más fuertes donde las ISOBARAS (líneas de igual presión) estén más juntas. La velocidad del viento se mide mediante un

Escala de vientos de Beaufort
La fuerza del viento puede expresarse en la escala de Beaufort que define la fuerza del viento según sus efectos sobre los objetos con que se encuentra. Estableció la escala el almirante británico sir Francis Beaufort en 1805. La escala de Beaufort es una serie de números del 0 (no hay viento) al 12 (un huracán violento). Los pasos de la escala son:
0 Calma (menos de 1,6 km/h). El humo sube derecho.
1-3 Aire ligero (hasta 29 km/h). Se mueven hojas y ramitas. Ondean las banderas.
4-5 Brisa fresca (hasta 38 km/h). Las ramas se mueven, en los lagos se forman olas.
6-7 Viento fuerte (hasta 61 km/h). Se mueven los árboles; es difícil andar contra el viento.
8-9 Tormenta (hasta 88 km/h). Vuelan tejas de los tejados.
10-11 Tormenta huracanada (hasta 117 km/h). Fuertes daños generalizados.
12 Huracán (más de 117 km/h). Efectos devastadores.

Fuerza 0
Fuerza 1-3
Fuerza 3-5
Fuerza 6-7
Fuerza 8-9
Fuerza 10-11
Fuerza 12

anemómetro. La velocidad o fuerza del viento puede medirse en una escala de 1 al 12 que se conoce como escala de Beaufort.

Viento solar

El Sol lanza al espacio partículas atómicas aparte de emitir calor y luz (RADIACIÓN ELECTROMAGNÉTICA). La mayor parte de esas partículas del "viento" son ELECTRONES. Cerca de la su-

▼ *El viento solar hace que el campo magnético de la Tierra sea asimétrico, al extenderse mucho más lejos en el espacio, en el lado de la Tierra apartado del Sol.*

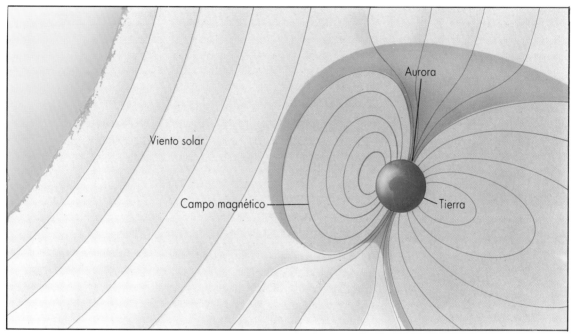

Aurora

Viento solar

Campo magnético — Tierra

▶ *Cuando el viento solar transporta estallidos especialmente fuertes de partículas emitidas por las manchas solares, puede hacer que la* atmósfera superior de la Tierra brille. Esto produce las auroras boreales y australes.

perficie del Sol forman un halo brillante o CORONA. A distancia de los planetas, este viento invisible que "sopla" a unos 700 km/s, fuerza las colas de los COMETAS a apartarse del Sol. Dado que el viento tiene carga eléctrica afecta el campo magnético de la Tierra. La actividad extraordinaria de la superficie del Sol, en especial un estallido sobre una MANCHA SOLAR vierte un chorro de partículas adicionales al viento solar y puede trastornar tanto el campo magnético de la Tierra hasta el punto de que se interrumpan las comunicaciones por radio.

Viscosidad

La viscosidad describe la capacidad de fluir de LOS FLUIDOS (gases o LÍQUIDOS). La propiedad de fluir se llama fluidez, la re-

Puedes comparar la viscosidad de los líquidos con un cronómetro. Toma dos tarros altos y llena uno con un líquido espeso como jarabe y el otro con agua. Haz una bola con un poco de plastilina y cronometra cuánto tarda en hundirse en cada columna de líquido. El líquido de mayor viscosidad ejerce una mayor fricción sobre la plastilina, que se frena.

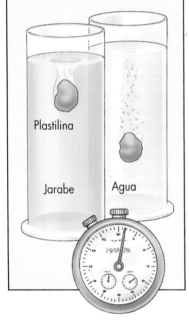

Plastilina

Jarabe   Agua

sistencia a fluir es la viscosidad. Es un tipo de fuerza de fricción. Si se mueve un objeto por un fluido, éste arrastra con él el fluido más cercano. Así pues, el fluido cercano se mueve respecto del fluido más lejano y la resistencia que se produce frena el objeto. Esta fuerza de frenado de la viscosidad se puede reducir mediante la AERODINÁMICA. Fluidos diferentes tienen viscosidades diferentes; un gas como el aire tiene una viscosidad muy baja, puesto que sus MOLÉCULAS no tiran mucho entre sí. Los líquidos pierden parte de su viscosidad cuando se los calienta porque sus moléculas no interactúan tanto a una temperatura más alta. Sin embargo, los gases calientes tienen una viscosidad más alta que los gases fríos.

Visión binocular

Muchos animales tienen visión binocular, con la cual cada OJO ve cada objeto desde un ángulo levemente diferente. Si mueves la cabeza de un lado a otro, un objeto parecerá moverse levemente frente a otro del fondo. A eso se le llama PARALAJE y ayuda a muchos animales a estimar la distancia de un objeto. Algunos animales con visión binocular, entre ellos los humanos, tienen los ojos en la parte delantera de la cabeza, lo que les concede la *visión estereoscópica*. El cerebro construye una imagen tridimensional a partir de los dos ojos, permitiendo una estimación certera de la distancia y de la profundidad. El cerebro sabe la distancia a que está un objeto a partir de cuánto han de enfocar este objeto los ojos.

▶ *Los animales pueden estimar mejor las distancias si los ojos están al frente, porque tienen un campo de visión binocular mayor.*

Lechuza

Humano

Liebre

Campo de visión derecho

Campo de visión izquierdo

Campo de visión binocular

◀ *Los animales con ojos en los lados de la cabeza pueden ver en todas direcciones, aunque por ello tienen un campo de visión binocular reducido.*

VIRUS Y ENFERMEDADES VÍRICAS 🔯

Los virus son organismos minúsculos que casi siempre producen enfermedades en animales y plantas. Todos los virus son parásitos que sólo pueden vivir en otras formas de vida. Técnicamente no son siquiera seres vivos puesto que sólo pueden reproducirse y desarrollar los procesos normales de la vida cuando están dentro de una célula formando parte de la estructura de ésta. Los virus invaden las células y asumen el material genético (ADN y ARN), alterando su función de modo que toda la célula se convierta en una "fábrica" para producir virus. En un momento dado la célula estalla y muere soltando los virus nuevos para que se extiendan.

Puesto que se afecta el funcionamiento de la célula, una infección con virus produce casi siempre enfermedad. A las defensas normales del cuerpo no les resulta fácil combatir los virus porque una vez éstos se encuentran dentro de la célula, el sistema inmunológico del cuerpo es incapaz de reconocer al invasor. Los anticuerpos sólo pueden atacar el virus cuando escapa de una célula dispuesto a invadir otras. Medicamentos como los antibióticos no funcionan contra los virus y hay que confiar en el sistema inmunológico para combatir la infección. El virus HIV, que puede causar Sida, es particularmente peligroso porque infecta y mata las células del sistema inmunológico que normalmente combaten las enfermedades. Las partículas de virus, los viriones, son muy pequeñas. Las enfermedades víricas se difunden habitualmente a través de virus transportados por el aire en gotitas de agua que se inhalan por los pulmones. Los resfriados y las gripes son infecciones habituales causadas por virus.

▲ Una fotografía en color falso tomada con un microscopio electrónico muestra partículas del virus adenovirus (amarillo) similar al tipo que causa el resfriado común. El minúsculo organismo está ampliado aquí 25 000 veces.

Enfermedades víricas

Las enfermedades causadas por virus incluyen algunas de las más peligrosas y molestas. Algunas de ellas (ni mucho menos todas) se pueden prevenir mediante vacuna, aunque el tratamiento se limita habitualmente a aliviar los síntomas. Los antibióticos, eficaces contra la mayoría de las enfermedades bacterianas, son inútiles contra los virus. Se cuentan entre las enfermedades víricas:
Sida (síndrome de inmunodeficiencia adquirida)
Varicela
Resfriado común
Gripe
Sarampión
Paperas
Poliomelitis
Rabia
Rubeola

Virus — Cubierta de proteína
1
Célula — ADN del virus — El virus inyecta ADN en la célula

2
El ADN del virus absorbe los genes de la célula

3
Se producen virus nuevos

4   5
Los virus nuevos salen de la célula

▲ **1.** Un virus consiste en una cadena de material genético (ADN o ARN) dentro de una cubierta de proteína. Infecta una célula al inyectar en ella su ADN. **2.** El ADN del virus se hace cargo de la célula. **3.** Hace que ésta produzca más virus. **4.** En un momento dado la célula infectada estalla liberando virus nuevos que se dirigen a atacar otras células **5.**

Ver ANTIBIÓTICOS, ANTICUERPOS Y ANTÍGENOS, CÉLULA, INFECCIÓN, PARÁSITO, SIDA, SISTEMA INMUNOLÓGICO, VACUNA

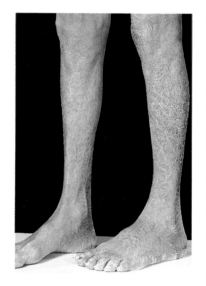

▲ *Esta persona sufre de pelagra. Esta enfermedad resulta de la falta de un tipo de vitamina B y causa piel quebradiza y debilidad de los músculos. El cuerpo necesita el tipo de vitamina B que le falta para obtener energía de la glucosa. Sin ella, los tejidos del cuerpo, pierden mucha energía.*

▲ *Una dieta equilibrada contiene todas las vitaminas que una persona necesita. Debería incluir leche y lácteos, pan, carne y pescado o legumbres y mucha fruta y verduras frescas.*

Vitaminas

Las vitaminas son sustancias que nuestro cuerpo necesita para colaborar en las muchas REACCIONES QUÍMICAS que ocurren dentro de las CÉLULAS. Las vitaminas no se pueden formar dentro del cuerpo (excepto alguna vitamina D, que se puede formar en la piel), de manera que se han de obtener a través de la comida. Hay varios tipos de vitaminas que se encuentran en una gama muy amplia de alimentos. Algunas vitaminas se disuelven en la grasa corporal y pueden almacenarse en ella, de manera que sólo las necesitamos en cantidades muy pequeñas en nuestra comida. Otras, como la vitamina C, se disuelven en agua y se eliminan del cuerpo en la orina, de manera que necesitamos completar constantemente las cantidades que tenemos

Vitamina	Fuentes habituales	Acción en el cuerpo
Vitamina A	Hígado, aceite de pescado, lácteos, fruta y verduras	Necesaria para ojos, piel y tejidos saludables
Vitamina B (varios tipos)	Carne, productos lácteos, cereal integral (harina y pan integrales), verduras	Empleada por las células al generar energía y en la producción de glóbulos rojos
Vitamina C (ácido ascórbico)	Naranjas, limones, muchas otras frutas y verduras	Necesaria para huesos y dientes saludables y para la regeneración de los tejidos
Vitamina D	Pescado graso, lácteos y huevos. La luz del Sol produce cierta vitamina D en la piel.	Necesaria para el crecimiento óseo
Vitamina E	Harina integral, gérmen de trigo, hígado, verduras	No hay función demostrada en los humanos
Vitamina K	Verduras de hoja. Producida también en los intestinos por bacterias no patógenas	Colabora en la coagulación de la sangre.

en el cuerpo. En los países occidentales, las clases y cantidades de comida disponibles hacen que la gente rara vez padezca carencia de ellas. Donde el hambre y la desnutrición son frecuentes, las deficiencias vitamínicas pueden ser serias, especialmente entre los niños. La carencia de vitamina D causa el raquitismo, una enfermedad por la que los huesos no se endurecen como deben, de manera que se deforman las piernas. Eso afecta a menudo a los niños allí donde la dieta se compone principalmente de arroz, aunque se forme cierta cantidad de vitamina D cuando la luz del Sol ilumina la piel. No se necesitan píldoras de vitaminas si se consume una dieta equilibrada.

◀ *Un volcán en erupción puede producir miles de toneladas de lava. La lava al rojo vivo puede tener una temperatura de más de 1000°C.*

La erupción volcánica más devastadora del mundo tuvo lugar en Tambora, Indonesia, en 1815, cuando murieron 12.000 personas. El volcán expulsó unos 150 km³ de ceniza y polvo. Entrado el s. XIX, cuando estalló el Krakatoa, también en Indonesia, más de 35.000 personas se ahogaron por una ola gigante (tsunami).

Volcanes

Los volcanes son las aberturas o grietas de la corteza terrestre a través de las cuales pueden salir a la superficie roca fundida o LAVA, gas, vapor, cenizas e incluso rocas. La forma de un volcán depende en gran medida del tipo de material que expulsa.

Las erupciones volcánicas tienen lugar en aquellos lugares de la corteza terrestre en que hay un gran flujo de calor desde

Hechos sobre volcanes

Hay cerca de 850 volcanes activos en el mundo, el 75% de los cuales forman parte del "anillo de fuego del Pacífico". El nombre de volcán procede de Vulcano, el dios romano del fuego. Cerca de Sicilia, en Italia, hay una isla llamada Vulcano, que tiene un volcán activo.

▼ *La mayoría de los volcanes se hallan a lo largo o cerca de los bordes de las placas que forman la corteza terrestre. Estas placas flotan sobre el manto incandescente de la Tierra. Sus movimientos causan el flujo de material caliente hacia la superficie, lo que conduce a erupciones volcánicas.*

La erupción volcánica mejor documentada ha sido la del Mount St. Helens, en el estado de Washington, EEUU, en 1980. Los científicos registraron la actividad del volcán varias semanas antes de la erupción. A pesar de todas las previsiones, murieron 60 personas, una de las cuales era uno de los científicos. Estaba demasiado cerca, porque la erupción fue más potente de lo esperado.

─ Bordes de las placas de la corteza   • Áreas con volcanes activos

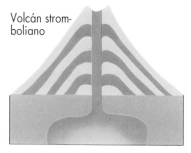

Volcán stromboliano

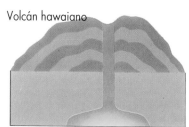

Volcán hawaiano

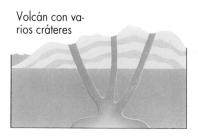

Volcán con varios cráteres

▲ *Hay cuatro tipos principales de volcán, cada uno con un cono distinto: hawaiano, de cono extenso* *y poca altura; stromboliano, de cono alto y altura mayor que el anterior; vulcaniano, que arroja* *lava espesa con grandes explosiones; y peleano, de lava muy espesa que forma agujas en el cono.*

COMPRUÉBALO TÚ MISMO

La roca fundida llamada magma se mueve a través de la corteza terrestre bajo presión. Puedes producir un efecto semejante si enrollas un tubo casi terminado de pasta dentífrica.La presión empuja la pasta a través de la boquilla. Haz un agujerito cerca del tapón y sigue apretando, y la pasta saldrá del agujero como la lava de un volcán.

dentro del manto. Ello suele ocurrir a lo largo de los márgenes de las placas que sostienen la tierra y el mar. Algunos volcanes, como los que forman las islas Hawai, se presentan dentro de una misma placa y tienden a ser menos violentos que los situados en los márgenes de las placas. Hay tantos volcanes alrededor del límite de la placa del Pacífico que se lo conoce como el "cinturón de fuego del Pacífico".

Los volcanes, como los de las islas Hawai expulsan grandes cantidades de lava tenue, de manera que el cono volcánico es líquido y cubre un área muy amplia. Se superponen capa tras capa de lava, cenizas y cascotes para formar conos de elegante forma.

En algunos volcanes, la grieta se bloquea con un tapón de roca entre erupciones. La presión aumenta lentamente debajo del tapón y el volcán entra en erupción con tal fuerza y rapidez que nadie puede escapar. La antigua ciudad de Pompeya, en el sudoeste de Italia, por ejemplo, quedó enterrada por una erupción del Vesubio en el año 79 d.C.

Voltio

El voltio es la UNIDAD SI que mide el voltaje. El voltaje también se conoce como fuerza electromotriz o "diferencia de potencial". Ésta es la diferencia de ENERGÍA de una carga eléctrica entre dos puntos diferentes. Hay que hacer un trabajo para empujar una corriente eléctrica a través de un cable. Para realizar este trabajo ha de haber un voltaje —una diferencia de potencial— ente ambos extremos del cable. Una pila normal produce 1,5 voltios. La mayoría de los electrodomésticos funcionan a 220 voltios. Un voltio de diferencia de potencial a través de una RESISTENCIA de un ohmio produce una corriente de un AMPERIO.

Los voltajes se miden mediante un voltímetro; pueden

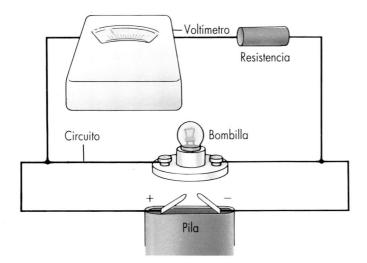

◄ *El voltaje entre dos puntos de un circuito se mide mediante un voltímetro. El voltímetro tiene una fuerte resistencia interna. Funciona usando el efecto magnético de la pequeña corriente que fluye a través de ella para producir un movimiento que hace que una aguja se mueva a lo largo de una escala. La magnitud de la corriente afecta a la amplitud del movimiento de la aguja sobre la escala, lo que señala la magnitud del voltaje.*

funcionar usando el voltaje que se ha de medir para enviar una corriente eléctrica a través de una resistencia. El campo magnético de esta corriente mueve una aguja en la escala del voltímetro para señalar cuántos voltios fluyen. Actualmente se usan a menudo voltímetros DIGITALES más precisos. El voltio recibe su nombre del científico italiano Alessandro Volta.

Vulcanizado

El vulcanizado es el proceso para endurecer el caucho. El caucho extraído del árbol es pegajoso y flexible. Se vulcaniza calentándolo con AZUFRE o compuestos de azufre. Las MOLÉCULAS del caucho no vulcanizado tienen una forma larga en zigzag. Se enderezan cuando se estira el caucho y se rompen con bastante facilidad. La vulcanización hace que las largas moléculas formen ENLACES químicos que las ponen de lado. Eso hace el caucho más resistente y fuerte. Aún se alarga cuando se estira, pero recupera su forma anterior cuando se elimina la fuerza.

Ver ELASTICIDAD.

El descubrimiento del vulcanizado en 1838 fue un hito en la industria del caucho. Antes, los productos del caucho eran poco útiles porque se endurecían en invierno y se volvían blandos y pegajosos en verano. Entonces, un día, a Charles Goodyear se le cayó una mezcla de caucho y azufre con la que experimentaba en una estufa. En lugar de fundirse, el caucho se volvió firme y fuerte.

▼ *El caucho no vulcanizado es blando y se quiebra fácilmente. Se usa en gomas de borrar. Al calentar caucho con azufre se forman enlaces químicos entre las largas moléculas de carbohidratos del caucho. El caucho vulcanizado resultante es mucho más duro y fuerte y se usa para fabricar cubiertas de neumáticos*

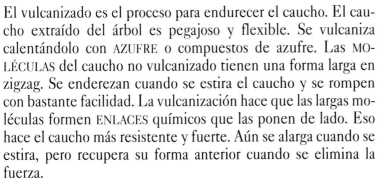

Carbohidratos del caucho

Enlaces de azufre

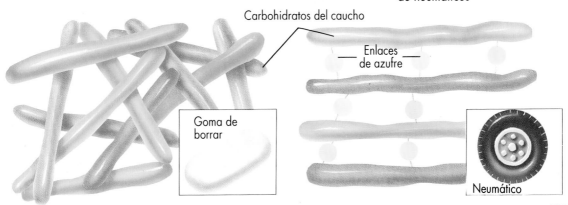

Goma de borrar

Neumático

VUELO

Los primeros intentos de conseguir el vuelo humano, que imitaban el de las aves mediante alas batientes, fueron todos infructuosos.

Los primeros vuelos humanos con éxito se hicieron en globo, aprovechando el principio de que una bolsa llena de aire caliente ascendería. En octubre de 1783, dos hermanos franceses llamados Montgolfier enviaron al aire a dos amigos en un globo de aire caliente. En 1852, Henri Griffard, un francés, hizo el primer vuelo de un globo dirigible con una hélice impulsada por un motor de vapor.

Este fue el precursor del dirigible; un recipiente rígido lleno de gas hidrógeno, impulsado por motores y llevando un compartimiento de pasajeros o góndola. El recipiente lleno de gas, al ser más ligero que el aire, flotaba por él. Después de una serie de accidentes en las décadas de los años 20 y 30, cuando el gas se incendió y destruyó los aparatos, los dirigibles perdieron popularidad.

En 1903, en Kitty Hawk, Carolina del Norte, EEUU, Orville Wright hizo el primer vuelo de motor en un aparato más pesado que el aire. Cuando se le impulsaba hacia delante, la diferencia del flujo del aire por encima y por debajo de las alas, especialmente conformadas, generaba un impulso ascensional. Este es el mismo principio que permite volar a las aves. Los aviones modernos aplican este principio.

Actualmente hay muchos tipos diferentes de aparatos voladores, como los aviones de despegue vertical, cazas, bombarderos, aviones de pasajeros, pequeños aviones a chorro, dirigibles, hidroaviones, helicópteros, avionetas y una gran gama de diversos aviones experimentales.

◄ Un ave tiene un cuerpo especializado para volar, con plumas, alas y huesos fuertes y huecos.

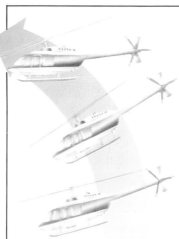

Los helicópteros no necesitan pista de despegue porque pueden despegar verticalmente. Lo hacen girando una serie de delgadas hojas de rotor a gran velocidad para generar un impulso ascensional.

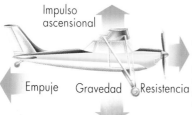

Impulso ascensional

Empuje   Gravedad   Resistencia

◄ Los aviones necesitan la fuerza de sus motores para volar y un impulso ascensional aportado por la alas, para levantarlos del suelo y mantenerlos en el aire. El empuje adelante de los motores anula la resistencia del aire.

Hitos en la historia del vuelo
1492 Leonardo da Vinci dibuja un esquema de máquina voladora.
1890 El *Eole* de Adler se convierte en el primer avión de tamaño natural que se levanta del suelo por su propia fuerza.
1903 Orville Wright hace su primer vuelo a motor.
1908 Orville Wright hace el primer vuelo en avión de 1 hora de duración.
1909 Farman completa el primer vuelo en avión de 160 km.
1923 De la Cierva construye su autogiro, un avión sin alas.
1939 Sikorsky construye el primer helicóptero moderno.
1939 Heinkel construye el primer avión a reacción.
1970 Entra en servicio el primer jumbo Boeing 747.
1986 Rutan y Yeager pilotan el avión *Voyager* alrededor del mundo, sin repostar, en un vuelo de 9 días.

George Cayley (1773-1857)
Ingeniero británico, Cayley es conocido por las muchas ideas que aportó a la historia temprana de la aviación, por lo que a menudo se lo llama el padre de la aeronáutica moderna. Inventó el biplano y construyó un planeador que voló 270 m. Escribió sobre helicópteros, paracaídas y la aerodinámica del diseño de los aviones.

Ver AERODINÁMICA, AIRE, GLOBO, HIDRÓGENO, PROPULSIÓN A CHORRO, TECNOLOGÍA, WRIGHT, ORVILLE Y WILBUR

Watt

El vatio es la UNIDAD de POTENCIA. Un vatio corresponde a la conversión de un julio de ENERGÍA de una forma en otra por segundo. Por ejemplo, una bombilla que usa 100 vatios de potencia transforma 100 julios de energía eléctrica en calor y luz cada segundo, mientras que una tostadora eléctrica puede tener una potencia de unos 1.000 vatios o 1 kilovatios (kW), de manera que convierte 1.000 julios de energía eléctrica en calor cada segundo. El MOTOR de un coche de tamaño mediano produce unos 50.000 vatios (50 kW), mientras que una central eléctrica grande produce varios cientos de millones de vatios.
Ver KILOVATIO-HORA

Westinghouse, George

George Westinghouse (1846-1914) fue el inventor e industrial estadounidense responsable del uso de la corriente alterna (CA) para el suministro eléctrico en Estados Unidos.

Potencia eléctrica

Un calentador eléctrico convierte energía eléctrica. Su potencia es el ritmo al que lo hace. Por ejemplo, si convierte 1.000 julios de electricidad en calor en 1 segundo, su potencia es de 1.000 julios por segundo o 1.000 vatios (igual a 1 kilovatio).

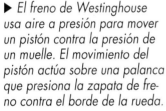

▶ *El freno de Westinghouse usa aire a presión para mover un pistón contra la presión de un muelle. El movimiento del pistón actúa sobre una palanca que presiona la zapata de freno contra el borde de la rueda.*

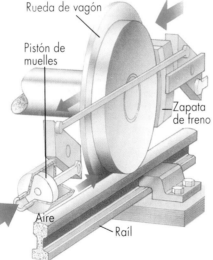

Rueda de vagón

Pistón de muelles

Zapata de freno

Aire

Raíl

Westinghouse importó un sistema de CA de Inglaterra y continuó su desarrollo. Empleó al ingeniero Nikola Tesla para perfeccionarlo. Después de una polémica entre defensores de la CA y la CC, finalmente se impuso la CA.

En la década de 1860, Westinghouse produjo una serie de inventos, desde un MOTOR DE VAPOR giratorio hasta su primer invento importante, en 1869: el freno neumático. El freno neumático de Westinghouse se usó ampliamente en los ferrocarriles de Estados Unidos. Se dedicó a mejorar el diseño, de manera que operara automáticamente.

▲ *George Westinghouse es más conocido por su invención del freno neumático usado en locomotoras y automóviles.*

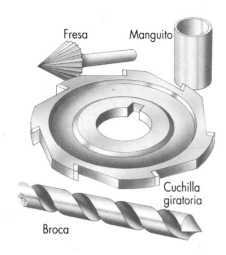

Fresa

Manguito

Cuchilla
giratoria

Broca

▲ *El carburo de wolframio, un compuesto de wolframio y carbono, es una sustancia extremadamente dura. Se usa para los filos de diferentes máquinas y para hacer objetos que han de resistir un gran desgaste.*

Wolframio

El wolframio es un ELEMENTO blanco plateado llamado a veces tungsteno. Se trata de un METAL resistente que no se corroe fácilmente, usado en los filamentos de las bombillas y en las resistencias de tostadoras. Su uso principal es en diversas ALEACIONES, especialmente aceros al wolframio para la fabricación de herramientas para cortar otros metales. Se emplean aleaciones de wolframio y cobre o plata en contactos para interruptores eléctricos que han de controlar corrientes muy fuertes. Un compuesto de wolframio y carbono, llamado carburo de wolframio, es una de las sustancias más duras que se conocen. Sólo el DIAMANTE es más duro. El carburo de wolframio se usa para hacer las puntas de perforadoras y los filos de las sierras para cortar roca y hormigón.

Ver CORROSIÓN, DUREZA.

Wright, Orville y Wilbur

Wilbur Wright (1867-1912) y su hermano Orville (1871-1948) realizaron el primer vuelo controlado de avión a motor del mundo en 1903.

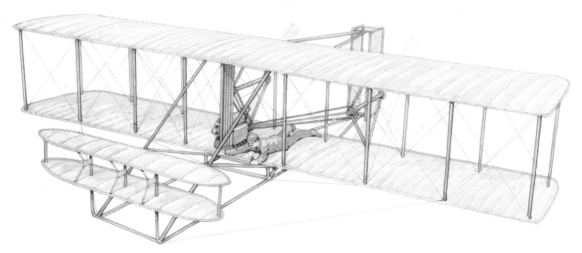

▲ *El primer avión a motor con éxito del mundo, el Flyer I fue construido después de experimentar con planeadores.*

Entre 1900 y 1902 construyeron una serie de planeadores para probar los controles que usarían en su siguiente aventura, el avión de motor llamado *Flyer I*. Su vuelo histórico el 17 de diciembre de 1903 en los montes Kill Devil, Kitty Hawk, Carolina del Norte, duró 12 segundos. Procedieron a construir más aeroplanos, mejorando cada vez su diseño. Tenían que diseñar sus propias hélices y MOTORES porque en aquel tiempo no existía ninguno que les sirviera.

Ver VUELO.

Zigoto

Cuando un óvulo es fertilizado por un espermatozoo produce un zigoto. Esta CÉLULA individual contiene genes de ambos padres y además todas las instrucciones necesarias para formar un organismo completo con todos sus órganos y la estructura prevista. El zigoto humano, por ejemplo, contiene genes como los que determinarán si el hijo tendrá ojos azules o marrones, pelo oscuro o rubio.

El zigoto sólo se mantiene en la forma de una sola célula muy poco tiempo, porque enseguida empieza a dividirse, lo que pronto lleva a la siguiente fase de desarrollo, llamada blástula.

En la FERTILIZACIÓN *in vitro* precisamente se produce un zigoto al ayudar a los padres que no han podido tener hijos. El espermatozoo fertiliza un óvulo que se ha extraído del ovario de la mujer. La blástula, que se compone de varias células, se vuelve a implantar en la mujer para que siga su desarrollo normal.

▼ Se forma un zigoto cuando se unen en la fertilización los núcleos de dos células sexuales (una masculina, el espermatozoo, y una femenina, el óvulo). Una vez el espermatozoo penetra en el óvulo, la membrana exterior se engruesa para evitar que entre ningún otro espermatozoo.

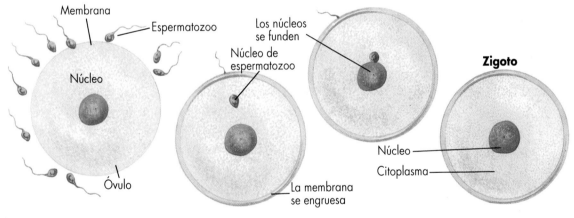

Membrana
Espermatozoo
Los núcleos se funden
Núcleo de espermatozoo
Zigoto
Núcleo
Óvulo
La membrana se engruesa
Núcleo
Citoplasma

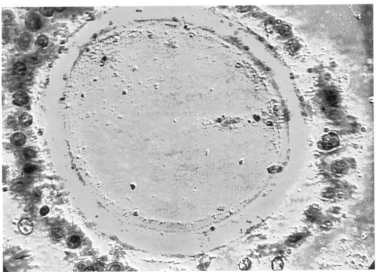

◀ Una acumulación de espermatozoos humanos (teñidos de azul) tratan de penetrar la membrana exterior de un óvulo (teñida de amarillo). Los espermatozoos parecen casi esféricos porque sus largas colas no se ven en esta fotografía mediante microscopio electrónico. Si entra un espermatozoo, se realiza la fertilización y en su momento el zigoto formado se convertirá en un nuevo individuo.

ZOOLOGÍA

La zoología es una disciplina muy amplia porque en la Tierra hay más de un millón de especies animales conocidas. La mayoría de los zoólogos se especializan en un tema determinado, como la fisiología, que es el estudio de los procesos de la vida del animal, incluyendo su respiración, su excreción, su reproducción, etc. Otros pueden especializarse en un grupo de animales determinado. Los entomólogos, por ejemplo, estudian a los insectos y los ornitólogos a las aves. Muchos entomólogos se dedican al control de las plagas de insectos, tales como mosquitos o langostas. Muchos otros zoólogos trabajan en la ganadería criando animales para nuestras granjas y estudiando cómo prevenir y curar sus diversas enfermedades.

La ecología se ocupa de cómo se adaptan los animales a su ambiente. Es muy importante para nosotros descubrir qué condiciones necesitan exactamente los animales si queremos conservarlos en la naturaleza. A veces, especies animales amenazadas en su hábitat natural se conservan en poblaciones pequeñas en zoológicos o parques naturales. Algunos países tienen reservas de caza o grandes parques nacionales para que los animales vivan sin interferencias de los seres humanos.

▲ Algunos de los animales más pequeños del mundo forman el plancton que vive en y cerca de la superficie de los mares. Esa muestra incluye copépodos minúsculos y las larvas de crustáceos como cangrejos y gambas. El plancton marino es el punto de partida de gran número de cadenas alimentarias. Muchos peces y aves comen plancton. Incluso algunas ballenas se nutren del filtrado de grandes cantidades de plancton diminuto de las aguas antárticas.

▼ Hay en el mundo más de 80.000 especies de aves, desde los pingüinos nadadores a los buitres de alto vuelo, patos y ocas.

▼ Las ranas son anfibios. Como los sapos, tritones y salamandras, ponen sus huevos en agua, pero sus larvas, como los renacuajos, se transforman en animales terrestres.

▼ La ballena azul es un mamífero que vive en el mar y es el mayor animal del mundo. Puede alcanzar más de 30 m de largo y pesar más de 100 toneladas.

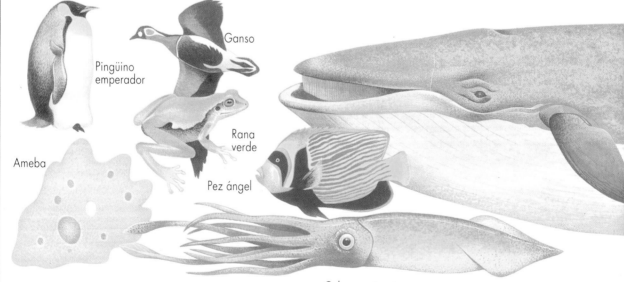

Pingüino emperador

Ganso

Rana verde

Ameba

Pez ángel

Calamar gigante

▲ Una ameba es un animal unicelular microscópico cuyo cuerpo, como jalea, engloba su alimento y lo mete en su interior para digerirlo. Hay muchos otros animales microscópicos.

▲ Los peces son el mayor grupo de animales vertebrados, con unas 20.000 especies diferentes, de tamaños desde un par de milímetros a más de 12 m.

▲ El calamar gigante es el mayor de los invertebrados. Es un cefalópodo que alcanza los 15 m (incluidos los tentáculos).

▶ Los zoólogos estudian los territorios de las aves, sus cambios de población y sus migraciones mediante el anillado. Aquí se anilla a una curruca. Cada anilla lleva la dirección de la entidad nacional que coordina la información acerca de las aves que se encuentran. Se rellena una ficha para cada ave anillada. con su peso, envergadura y especie y la tarjeta se envía y se guarda en esa entidad nacional para el caso de que el ave sea presa o encontrada de nuevo.

Los zoólogos siempre hacen descubrimientos fascinantes. Hasta hace poco se creía que los insectos caían en las telarañas por accidente. Pero se ha descubierto recientemente que algunas telarañas reflejan luz ultravioleta, que atrae a los insectos.

▼ El escarabajo Goliat tiene el tamaño del puño de un hombre y es uno de los insectos más pesados del mundo (algunas mariposas son mayores). Los insectos forman parte de un grupo mayor, los artrópodos.

COMPRUÉBALO TÚ MISMO
¿Cuántas lombrices hay en un metro cuadrado de césped? ¡Más de las que crees! Para descubrirlo, usa cordel para marcar un metro cuadrado de césped y riega la hierba hacia el atardecer con lavavajillas diluido. Eso hará que las lombrices salgan a la superficie. Cuando haya oscurecido, sal con una linterna y recoge las lombrices en un cuenco. Suéltalas después de haberlas contado.

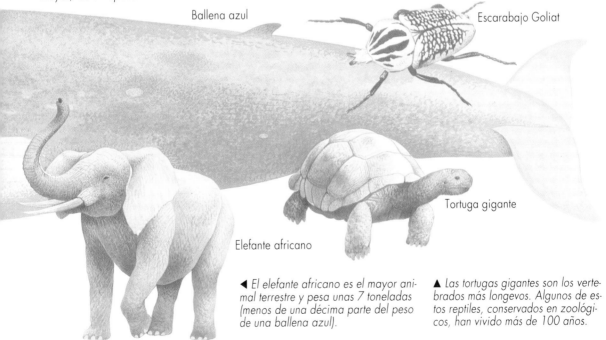

Ballena azul

Escarabajo Goliat

Tortuga gigante

Elefante africano

◀ El elefante africano es el mayor animal terrestre y pesa unas 7 toneladas (menos de una décima parte del peso de una ballena azul).

▲ Las tortugas gigantes son los vertebrados más longevos. Algunos de estos reptiles, conservados en zoológicos, han vivido más de 100 años.

Ver AGRICULTURA, BIOLOGÍA, BOTÁNICA, CLASIFICACIÓN, CONSERVACIÓN, CRÍA, ECOLOGÍA, ESPECIE, MEDIOAMBIENTAL, ORGANISMO

Los romanos usaban el zinc hace más de 2000 años, pero como siempre se lo encontraban en combinación con otros elementos, no fue identificado como metal simple hasta el s. XVI por el médico suizo Paracelso.

▲ *El zinc es un elemento metálico. Como la mayoría de los metales, es brillante en su forma pura, pero en la naturaleza sólo se encuentra en forma de compuestos.*

▶ *El zinc es un metal con muchas aplicaciones, la principal de las cuales es la de galvanizar el acero. También se usa para hacer las fundas exteriores de las pilas. La principal aleación del zinc es el latón, aunque se usan otras aleaciones en máquinas y para hacer monedas.*

Zinc

El zinc (también escrito cinc) es un ELEMENTO gris azulado. Es un METAL que se conoce y utiliza desde hace cientos de años. Su principal aplicación actual está en el GALVANIZADO del acero. El acero se cubre de zinc mediante un baño o por ELECTRÓLISIS para formar una capa protectora que impida que el acero se oxide. Se usa el acero galvanizado para techados y depósitos de agua. También se usa el zinc para fabricar PILAS.

El zinc forma parte de varias ALEACIONES, tales como el latón (zinc y cobre) o la aleación de zinc (con aluminio y cobre) usada para moldear objetos tales como cacerolas y pomos. El óxido de zinc es el PIGMENTO conocido como blanco de china y se usa en ungüentos antisépticos. El sulfuro de zinc brilla cuando lo iluminan rayos ULTRAVIOLETAS o RAYOS X y se usa para revestir el interior de las pantallas de TELEVISIÓN y las esferas luminosas de los relojes.

Ver CORROSIÓN, HIERRO Y ACERO, LUMINISCENCIA

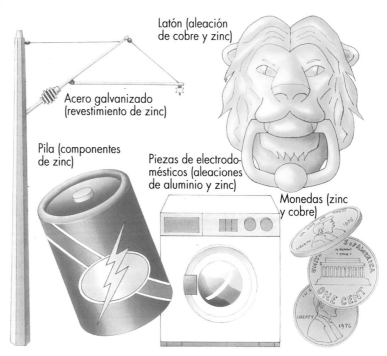

Latón (aleación de cobre y zinc)

Acero galvanizado (revestimiento de zinc)

Pila (componentes de zinc)

Piezas de electrodomésticos (aleaciones de aluminio y zinc)

Monedas (zinc y cobre)

Zoología *ver* páginas 812 y 813

Acerca del índice

Este índice se ha confeccionado con el fin de ayudarte a encontrar los artículos que contienen información sobre el tema que buscas. Alguna vez verás que, aunque no hay una entrada sobre el tema que necesitas, por ejemplo "avión", encontrarás información sobre él en muchos otros artículos, tales como "aerodinámica", "vuelo", "propulsión a chorro" y "Wright, Orville y Wilbur".

Los números de página relacionados en este índice son de tipos diferentes. Aquellos que están impresos en **negrita** remiten a la entrada principal donde se puede encontrar determinado tema, mientras que los números impresos en *cursiva* remiten a páginas en que aparecen ilustraciones sobre ese tema. Así, por ejemplo, si buscas "aceleración", encontrarás:

aceleración **3**, *3*, 128, 410, 476, 486, 613, 774, 775

La explicación principal de esta voz está en la página 3, donde también hay una ilustración, pero encontrarás más explicaciones en las demás páginas señaladas.

Después del índice principal encontrarás uno temático. En ése, todas las entradas de la enciclopedia están clasificadas por disciplinas. Las entradas están en orden alfabético por cada disciplina. Además hay un índice de entradas tratadas como temas especiales.

ingravidez 486
inhalador Morton 225
injerto 141, 401
inmersión 348
inoculación 768
insecticida 146, 414, *415*, 775
insecto 47, 273, *273*, 496
inspiración *631*
instinto 416, *416*
instrumentos 586, 702
instrumentos científicos 417, *417*
instrumentos musicales 56, 418, 534
insulina 254, 365, 414, 578
inteligencia 419
inteligencia artificial 419, *420*
intensidad 534
intercambiador de calor 27, 104, *420*
intercambio iónico 21
interferencia 566
interruptor automático de circuito 346
intestino 282, 400, 421, *421*, 706
intestino delgado 217, *217*, *421*
intestino grueso 218, 292, *421*
intoxicación alimentaria 87, *422*
invención 423 *423*
invertebrados 273
invertebrados acuáticos 441
invierno 378
inyección 484
inyección de combustible 423, *424*
Io 435, 691
iodo 424, *424*
ioduros 424
ión 253, 424, *425*, 517, *540*, 594, 641, 688
ionización *174*, 425
ionosfera *64*, 425, *425*, 566, 645, 745, 763, 777
iridio 603
iridiscencia 426, *426*, 607
iris 562
irradiación 171, *171*, 282, 427
irrigación 428, *428*
islotes de Langerhans 578
iso-octano 596
isobara 428, *429*, 782
isómero 429, *429*
isósceles 428
isoterma 430, *430*
isotónico 396, 428, 430
isótopo 24, 269, 375, 385, 428, 431, *431*, 544, 608, 648, 653, 765
isótopo radiactivo 288, 431
isótopos, teoría de los 431

J

jabones 21, 432, *433*, 614, 721
jaspe 514
Jenner, Edward 768
Jensen, Hans Daniel 627
Joliot, Frederic 199
Joule, James Prescott 434
Joule, ley de 433, *433*
joules 248
joya 570, 602
jugos digestivos 283, *421*
julio 434, *434*, 764, 791
Júpiter 60, 348, 434, 435, *475*, 498, 691, *708*
Júpiter, Gran Mancha Roja 435
juramento hipocrático 391

K

karst 679
Kekulé, August 79
Kelvin 122, 710, 740, 764
Kelvin, William Thompson 436, *436*
Kepler, Johannes 94, 183, 188, 436, *437*
kilogramo 710, 764
kilojulio 434
kilovatio-hora 437, *437*
Kipp, relé de 636
Kirchhoff, Gustav R. 168, 600
Kitty Hawk 790
Knoll, Max 510
Koch, Robert 485, 503, 586
kriptón 64

L

laboratorio 312, 438, 483, 503, 586, 634, 727
lacas 468
lactosa 71, 445
lagos 551
Lamarck, Jean Baptiste 439, *439*
laminados 440
lámpara de seguridad 201
lámpara estroboscópica *287*
lana 537, 611
Land Edwin 111
lanzadera espacial, Spacelab 441
lanzadera espacial 440, *441*
lápiz escáner 569
Laplace, marqués de 86
laringe 375
larva 441, *441*, 442, 496
láser 58, 151, 307, 352, 368, 398, 417, 442, *443*, 462, 477, 667, *667*, 735, 738
láser de gas 443
láser operativo 442
láser pulsante 443
látex 121, 367
latitud 443, 612, 628, 757
latón 64
Laue, Max von 215
lava 444, *444*, 667, 678, 680, 787
Lavoisier, Antoine 86, 574, 638
lectura óptica 151, 445
leche 6, 305, 445, *445*
Leeuwenhoek, Anton van 508
legumbres 554
lejía 210
lengua 374
lenguaje 163, 375
lenguajes de ordenador 446, 567
lente óptica 73, 110, 111, 319, 324, 447, 466, 507, 509, 562, 661, *661*, 735, 780
Leonardo da Vinci 448, *448*
leucocito 689
levadura 32, 304, 414, 449, *449*, 503, 507
Leverrier, Urban 540
levitación magnética (Maglev) 450
levulosa 71
Lewis 639
Leyden, botella de 91, *91*
libro (omaso) *283*
ligamentos 58
línea lateral 697
línea telefónica 303
Linneo, Carl von 85, 143, 450, *450*, 451
lino 309, 580

liofilización 208, 451
lípidos 2, 83, 154, 371, 390
lipoproteínas 155
liquen 724, 758
líquido 2, 6, 21, 22, 48, 97, 107, 108, 114, 127, 1164, 310, 319, 350, 373, 382, 390, 452, *452*, 492, 493, 502, 517, 571, 662, 698, 714, 717, 738, 772, 783
líquido sinovial 457
Lister, Joseph **51**
listeria 422
litografía 408
litosfera 744
llama 158, 160
llave química *134*
llovizna 617
lluvia 25, *64*, 148, 165, 333, 520, 547, 617, 664, 675, *746*
lluvia ácida 71, 176, 187, 219, 288, 453, *453*
lluvia radiactiva 288, 453, *454*
lluvias de meteoros 499
locomotora a vapor 471
Lodge, Joseph Oliver 641
logaritmos 72
lógica 454
logo 446
longitud 378, 443
longitud de onda 56, 63, 124, 156, 186, 215, 269, 332, 442, **455**, *456*, 458, 466, 505, 509, 565, 597, 641, 642, 644, 647, 651, 661
longitud focal 319
Lorentz, Hendrik Anton 660
Lovell, Bernard 647
Lowell, Percival 608
loza 130
lubricación 334, 456, *456*
lubricantes 456
luciérnagas 458
luciferina 83
Lucrecio 503
Lumière, hermanos 136, 325
luminiscencia 457, *457*
Luna 54, 60, 105, 296, 348, 373, 435, *458*, 458, 459, 473, 492, 545, 590, 617, 691, 718
luna llena 459
luna nueva 228, 459
lúpulo 449
luz 2, 9, 25, 51, 53, 82, 91, 110, 124, 147, 156, 158, 186, 270, 307, 314, 319, 324, 327, 328, 329, 331, 338, 368, 406, 426, 442, *459*, 460, 462, 477, 483, 507, 508, 509, 529, 562, 565, 600, 615, 620, 631, 640, 641, 642, 644, 649, 658, 660, 661, 735, 747, 757, 759, 780, 783
luz blanca 53, *53*, 460
luz coherente *442*
luz, difracción de la 466
luz polarizada 462, *462*
luz, reflexión de la 461
luz, refracción de la 461
luz ultravioleta 269, 427
luz, velocidad de la 460
Lyell, Charles 358

M

MacCandless *61*
mach 790
madera 463
Magallanes, nubes de 464, *464*

magma 598
magnesio 147, 306, 464, *464*, 514
magnesita 464
magnetismo 96, 198, 237, 240, 301, 314, 340, 354, 361, 410, *465*
magnetita 388
magnetómetro 466, *466*
magnetosfera 770
magnetrón 505
magnificación 466, *466*, 508
Maiman, Theodore 442
maleabilidad 467, 495
maltosa 71
mamíferos *274*, *291*, 360, 587, 629
manchas solares 65, *65*, 348, 467, 713, 783
mandíbulas 214
manganeso 388, 468, 564
manganita 468
mantequilla 474
mantillo 307
manto 598, 744, 788
mapa 356, 469, *469*, 592, 640, 738
mapa físico 469
mapa geológico temporal 358
máquina 119, 153, 157, 161, 252, 697, 751
máquina de vapor 471, 662, 673, 773
máquinas herramienta 470
maquinas simples 472
mar 557
Marconi, Guglielmo 472, *472*, 645, 646
mareas 341, 373, 473, 658, 759
mareos 486
margarina 371, 474, *474*
Mariner IV, satélite 296
mariposas 441
mármol 102, 679, *680*, 681
Marte 60, 296, 360, 475, *475*, *476*, 708
martillo 561
martillo a vapor 320
martillo neumático 543
masa 107
masa 81, 204, 248, 266, 269, 373, 411, 476, *476*, 517, 573, 584, 588, 590
masa atómica 686
masas estelares 62
máser 442, 477, *477*, 505
matemática 34, 55, 56, 275, 359, 455, 477, **478**, *478*, 479, *479*, 620
materia 3, 50, 65, 108, 155, 477, 499
materia, estados de la 477
materia interestelar 480
material genético 87
material termofraguado 604
material termoplástico 604
materiales 124, 480, *480*, 514, 579, 654, 656, 669
materiales de construcción 173
materiales inflamables 298
matraz 636
matrices 99
Maxwell, James Clark 237, 532, 641
McClintock, Barbara 355
mecánica 481, *482*, 774
mecánica cuántica 314, 482, *482*, 600, 739
mechero de Bunsen 438, 483, *483*
media aritmética 622 *ver* promedio
mediana 623
medicamentos 8, 37, 44, 114,

Indice temático

Índice de artículos especiales

Créditos

Los editores agradecen a los siguientes artistas sus aportaciones a la presente enciclopedia:

Marion Appleton, Craig Austin, Kuo Kang Chen, David Eddington (Maggie Mundy Illustrator's Agency), Dave Etchell, Chris Forsey, Mark Franklin, Jeremy Gower, Hardlines, Hayward Art Group, Christa Hooke (Linden Artists), Lisa Horstman, Ian Howatson, Industrial Artists Ian Jackson John James (Temple Rogers), Felicity Kayes (Design Associates), Elly and Christopher King, Terence Lambert, Steve Latibeaudiere, MiLe Long (Design Associates), Chris Lyon, Janos Marffy (Jillian Burgess Agency), William Oliver, David Phipps (Design Associates), Malcolm Porter, Sebastian Quigley (Linden Artists), John Ridyard, Valerie Sangster (Linden Artists), Mike Saunders (Jillian Burgess Agency), George Thompson, John Woodcock (Jillian Burgess Agency), David Wright (Jillian Burgess Agency).

Los editores agradecen a las siguientes personas e instituciones sus aportaciones fotográficas a la edición original de la siguiente enciclopedia:

Cover Science Photo Library (SPL), página 1 SPL, 2 ZEFA, 5 VAG (UK) Ltd (arriba), Royal Albert Hall (abajo), 7 Paul Brierley, 9 ZEFA; 10 IVECO/Parlour Wood Ltd; 11 ZEFA; 12 SPL; 13 SPL; 15 ZEFA; 17 ZEFA; 18 Derby Museum & Art Gallery; 20 SPL; 21 McDonnell Douglas 22 ZEFA; 23 SPL (izquierda), ICI(derecha), 27 Ann Ronan Picture Library, 28 SPL; 29 SPL; 31 Ann Ronan Picture Library; 32 ZEFA; 34 Ronald Grant Archive, 36 Michael Holford (derecha), Paul Brierley (izquierda); 37 Hutchison Library; 38 ZEFA; 39 SPL; 41 Istanbul University; 44 SPL (derecha) Grisewood & Dempsey (izquierda); 45 ZEFA; 46 SPL; 48 ZEFA; 50 Science Museum; 51 Grisewood & Dempsey; 52 Mary Evans Picture Library, 53 ZEFA, 54 ZEFA; 58 ZEFA; 64 ZEFA, 65 SPL 66 SPL 67 Mansell Collection (arriba izquierda), ZEFA (arriba derecha), Ann Ronan Picture Library (centro); 68 SPL; 71 F.R.Logan Ltd, 74 ZEFA; 75 SPL; 76 ZEFA (arriba), SPL (centro) 77 SPL, 78 SPL; 83 SPL; 84 SPL, 85 SPL; 87 ZEFA; 89 Robert Hunt Library (arriba), ZEFA (abajo); 95 Mike Potts (derecha), Beech Aircraft Corps (izquierda); 96 Sony (UK) Ltd; 97 ZEFA (izquierda); 103 Racal-Vodac Ltd; 104 SPL; 106 ZEFA; 108 D.Gardner (izquierda), Isuzu Ceramics Institute (derecha), 110 SPL,112 SPL; 115 Terry Cash, 116 Robert Hunt Library (derecha), ICI Chemicals & Polymers (izquierda); 119 SPL; 120 Life Science Images; 121 SPL; 122 Lucas Film Ltd 123 ZEFA, 131 ZEFA, 133 ZEFA, 135 NASA; 136 SPL, 139 Science Museum; 140 ZEFA (arriba), Atlas Copco (abajo); 141 The Moving Picture Co (arriba and izquierda), Tektronik (UK) Ltd (derecha); 142 UNISYS, 143 Cray Research Inc; 146 ZEFA; 149 SPL; 151 Michael Hopkins & Partners; 152 ZEFA; 153 ZEFA; 154 ZEFA; 155 Ann Ronan Picture Library; 162 Popperfoto; 163 NASA; 165 National Museum of Photography Film & Television; 166 Ann Ronan Picture Library (arriba), Michael Holford (abajo); 169 SPL; 170 ZEFA; 173 ZEFA; 175 De Beers (derecha), British Petroleum (izquierda); 180SPL; 181 ZEFA; 182 House of Seagram; 183 SPL; 185 Ann Ronan Picture Library; 186 SPL; 187 ZEFA, 191 NASA; 193 California Institute of Technology, 197 SPL, 198 Bettmann Archive; 200 PSA. 201 ZEFA, 203 ZEFA, 204 SPL; 209 Cambridge Instruments Ltd; 210 PSA (derecha), ZEFA (izquierda); 212 Ron Boardman; 214 Herberts; 215 NHPA M.Tweedie; 218 ZEFA; 220 Paul Brierley; 223 ZEFA; 224 ZEFA; 231 Byrne Photography (derecha), ZEFA (izquierda); 236 Jet Propulsion Lab, Pasadena, California (izquierda), SPL (derecha); 239 Canon (UK); 240 Bruce Coleman; 241 NHPA/S.Krasemann; 242 ZEFA; 244 ZEFA; 245 BTTG; 249 ZEFA; 251 ZEFA; 252 NHPA D. Woodfall, 253 Ann Ronan Picture Library, 254 ZEFA, 255 ZEFA, 257 Ron Boardman, 259 SPL; 260 SPL; 262 FBI; 263 ZEFA; 264 Dinosaur National Museum, Utah; 265 Ron Boardman, 267 Novosti; 270 Ferodo/ADS Group; 271 SPL; 273 ZEFA; 276 ZEFA; 278 VAG (UK) Ltd 284 SPL- 285 SPL 291 SPL; 292 ZEFA; 293 ZEFA; 294 ZEFA; 295 ZEFA, 296 Johnson Matthey plc; 298 NASA; 307 ZEFA, 308 Bullk Information Systems; 312 SPL; 313 Allsport; 314 SPL (izquierda), Michael Holford (derecha); 316 ZEFA; 325 ZEFA; 326Z EFA; 329 ZEFA, 330 SPL; 332 NASA; 334 ZEFA; 336 ZEFA; 337 ZEFA; 339 ZEFA; 341 SPL; 343 Nestlé, 344 ZEFA; 345 SPL; 350 Science Museum; 351 Transport Road & Research Laboratory; 352 SPL; 354 SPL, 355 ICI Group Ltd; 357 ZEFA; 358 Hutchison Library; 359 ZEFA (izquierda), Photographic Services Corp (arriba), SPL (abajo); 360 NASA; 361 SPL; 362 ZEFA; 363 Shell Research Ltd; 365 Science Museum (arriba), SPL (abajo), 368 ZEFA, 369 SPL, 370 ZEFA, 373 British Gas plc, 374 MoD, 376 Ron Boardman, 382 ZEFA 383 SPL, 385 Beech Aircraft Corps; 386 ZEFA; 387 ZEFA; 389 ZEFA; 390 NCR (izquierda), ZEFA (derecha); 391 SPL; 393 Ron Boardman (izquierda), ZEFA (derecha); 394 ZEFA, 400 ZEFA; 401 ZEFA 402 SPL, 403 ZEFA (arriba), SPL (abajo); 406 Casio Electronics Ltd; 412 SPL; 417 British Airways; 418 Ann Ronan Picture Library, 419 SPL; 420 SPL; 422 SPL; 423 SPL; 428 NASA; 430 SPL (izquierda), ZEFA (derecha); 432 Grisewood & Dempsey; 435 ZEFA; 437 SPL 440 Biofotos (arriba), Ron Boardman (abajo); 441 SPL; 443 ZEFA; 444 SPL; 445 SPL; 448 Ron Boardman; 449 Hutchison Library; 4so ZEFA; 452 Ron Boardman; 453 SPL; 454 ZEFA; 459 ZEFA; 461 ZEFA; 463 ZEFA; 464 Spectrum Colour Library; 468 Grisewood & Dempsey; 469 Hutchison Library, 470 NASA 473 ZEFA; 475 ZEFA; 478 SPL, 480 NHPA M.Tweedie (arriba);
SPL (abajo); 481 ZEFA; 484 SPL; 485 SPL; 486 SPL (izquierda), ZEFA (derecha); 487 Frank Lane Picture Agency; 489l CI Explosives; 490 Nobel Foundation; 492 SPL; 494 SPL; 495 SPL; 496 ZEFA; 497 SPL; 501 SPL; 502 SPL; 503 ZEFA; 506 ZEFA, 508 SPL; 509 Ron Boardman; 510 SPL; 511 Science Museum; 512 Paul Brierly (arriba), SPL (abajo); 513 ZEFA; 514 SPL; 518 ICI Paints; 519 IMITOR; 520 The Hutchison Library; 529 SPL, 531 ICI Chemicals, 533 Ann Ronan Picture Library, 534 IMITOR, 535 Durst; 537 SPL; 541 Terry Cash; 542 SPL; 543 SPL; 544 SPL, 545 Ann Ronan Picture Library, 546 SPL; 547 SPL; 548 ICI Group; 549 ICI Group; 551 Johnson Matthey; 553 UK Atomic Energy Authority Technology; 555 SPL; 556 Polaroid UK; 557 sPL; 558 ZEFA; 559 Exxon Company USA (izquierda), SPL (derecha); 562 ZEFA (izquierda) SPL (derecha); 570 Calor Gas Ltd; sil SPL; 572 Ann Ronan Picture Library (izquierda), ZEFA (nght); 573 Mansell Collection; 574 Derek Widdicombe; 575 Pyrex; 577 SPL; 578 SPL; 579 Marconi Co. Ltd; 581 ZEFA; 583 SPL; 585 Polygram; 590 Ann Ronan Picture Library; 591 NHPA/S.Dalton; 592 Frank Lane Picture Agency, 593 NHPA/A.Banninster, 594 ZEFA; 598 ZEFA, 599 ZEFA (arriba), National Film Archive (abajo), Hunter (izquierda); 600 ZEFA; 601 SPL, 604 Ann Ronan Picture Library (arriba), ZEFA (abajo); 606 ZEFA,607 ZEFA- 611 NASA; 612 Science Museum; 613 Biofotos; 616 ZEFA; 619 Ron Boardman; 620 SPL; 621 SPL; 623 NHPA/A.Bannister, 624 ZEFA, 626 Derek Widdicombe; 627 SPL (arriba), D.Gardner (abajo); 629 ZEFA; 630 ZEFA, 633 SPL, 637 Marconi; 639 Ron Boardman; 641 ZEFA; 643 NASA, 644 NASA, 645 NASA, 647 SPL; 648 NASA; 652 NHPA/S. Krasemann; 653 SPL; 655 ZEFA, 659 Ron Boardman, 661 ZEFA; 663 NHPA/A.Bernard; 665 Ann Ronan Picture Library, 668 Frank Lane Picture Agency (derecha), SPL (izquierda); 669 SPL; 670 J. Allan Cash; 672 ZEFA, 673 Ron Boardman, 674 ZEFA; 675 SPL; 677 SPL; 679 ZEFA; 680 Ron Boardman, 681 Ron Boardman, 683 Yamaha; 684 Courtaulds Ltd; 685 ZEFA; 691 ZEFA; 692 ZEFA; 693 ZEFA; 694 ZEFA; 695 SPL (arriba), ZEFA (abajo); 696 ZEFA; 698 SPL; 699 ZEFA, 703 Ron Boardman; 705 ZEFA; 708 MAFF, 709 NHPA/S.Krasemann, 712 J. Allan Cash, 713 ZEFA, 714 ZEFA, 716 CEGB,718 ZEFA (arriba), NHPA/G.Bernard (abajo); 720 SPL, 725 Ron Boardman; 726 Ontario Science Centre; 728 ZEFA 729 SPL; 732 ZEFA (derecha), J. Allan Cash (izquierda); 734 Sony UK; 735 SPL, 736 Samsung; 737 St. Bartholomew's Hospital, 738 ZEFA, 742 Genet Group, 743 NHPA/D.Woodfall, 744 ZEFA, 746 Panos Pictures, 749 SPL; 750 NHPA/S.Dalton, 753 Mark Edwards/Still Pictures (arriba), ZEFA (abajo), 755 Dennis Gllbert 757 SPL (arriba), British Aerospace (abajo); 758 ZEFA; 761 Musée de l'air, 763 SPL (arriba), Grisewood & Dempsey (abajo); 764 SPL; 765 SPL; 766 Biofotos; 767 NHPA/M.Leach; 768 SPL.